JN029620

それを、真の名で呼ぶならば

危機の時代と言葉の力

それを、真(まこと)の名で呼ぶならば

危機の時代と言葉の力

レベッカ・ソルニット　渡辺由佳里 訳

岩波書店

CALL THEM BY THEIR TRUE NAMES
American Crises (and Essays)

by Rebecca Solnit

First published 2018 by Haymarket Books, Chicago.
This Japanese edition published 2020
by Iwanami Shoten, Publishers, Tokyo
by arrangement with Rebecca Solnit c/o Roam Agency, New York,
through The English Agency (Japan) Ltd., Tokyo.

それを、真の名で呼ぶならば

目次

目次

Ⅳ 可能性

装丁・後藤葉子

・本文中の〔　〕および傍注は訳注、＊で示した章末注は原注である。

まえがき——政治とアメリカの言語

FOREWORD: Politics and the American Language

アールネ‐トンプソンによる昔話の分類のひとつに、「謎めいた、あるいは威嚇的な援助者を、主人公が名前を知ることで打ち負かす」という型[1]がある。遠い昔の人びとは名前に強い力があることを知っていた。現在でもそれを知っている人はいる。ものごとを真の名で呼ぶことは、言い訳をし、ぼかし、濁乱させ、偽装し、逃げるため、あるいは、怠慢や、無関心や、無自覚を促すためにつかれた嘘を、切り裂く。それだけでは世界を変えるのに十分ではないが、真の名前を呼ぶことは、重要な工程なのだ。

課題が深刻なものである場合、それを名づける行為は「診断」だとわたしは考える。診断名がついた病のすべてが治癒可能というわけではないが、何に立ち向かっているのかをいったん理解でき

(1) アンティ・アールネとスティス・トンプソンが昔話の型を分類した、通称「アールネ‐トンプソン・タイプインデックス」(AT番号)の五〇〇番。

れば、それにどう対処するべきかがはるかにわかりやすくなる。このはじめの一歩があってこそ、〔医学の〕研究成果、援助の方法、効果的な治療法と同様に、疾患を見直す可能性とそれが意味するものを知ることができる。一度、疾患に名前をつければ、同じ病に苦しんでいる人たちのコミュニティとつながることができるし、なければ自分で作ることもできる。そして、ときには診断名がついたものを治癒することも可能だ。

　ものごとに名前をつけるのは、解放(リベレーション)の過程の第一歩だ。〔グリム童話に登場する小人の〕ルンペルシュティルツヒェンは、自分の真の名を当てられて激昂し、自分を引き裂いてしまう。そのおかげでヒロインは小人の脅迫から自由になる。おとぎ話は魔法をかけられる話だと思われているが、実際には魔法を解くことが目的であることが多い。呪いや幻覚、あるいは、言葉が話せなくなったり、もともとは似ても似つかぬ姿になったり、人間ではない生きものになったりという変身を打ち破るという目的だ。政治家や権力をもつ指導者らが秘密裏にやったことを名づけることが、辞任や権力の交代を導くというのは、よくあることだ。

　ものごとに真の名前をつけることは、どんな蛮行や腐敗があるのか——または、何が重要で可能であるのか——を、さらけ出すことである。そして、ストーリーや名前を変え、新しい名前や言葉やフレーズを考案して普及させることは、世界を変える作業の鍵となる。解放のプロジェクトには、新しい言葉を作り出すか、それまで知られていなかった言葉をもっとよく使われるようにすることが含まれている。たとえば、わたしたちは、いまでは「ノーマライゼーション」、「採取／搾取主義(エクストラクティヴィズム)[2]」、「燃やせない炭素(アンバーナブルカーボン)[3]」、「ウォーキング・ワイル・ブラック[4]」、「ガスライティング[5]」、「刑務所産業複合体」、

「新ジム・クロウ法」[6]、「肯定的同意（アファーマティヴ・コンセント）」[7]、「シスジェンダー」[8]、「懸念荒らし屋（コンサーン・トローリング）」[9]、「そっちこそどうなんだ主義（ホワットアバウティズム）」[10]、「マノスフェア」[11]など、ほかにもっと多くの新しい言葉を使うようになっている。

このプロセスは両刃（もろは）の剣（つるぎ）である。「家族再統合」[12]という良い響きがある表現を、トランプ政権が不吉で伝染性があるかのような「連鎖的移住」と呼び換えたことについて考えてみよう。二代目ブッシュ政権が拷問のことを「強化された尋問」と言い換え、その尻馬に乗った報道がいかに多かったかも。そして、クリントン政権の「二一世紀への架け橋」は、テクノロジーがもたらす素晴らしい未来を祝うふりをして、一九世紀のような経済格差や「泥棒男爵」のような悪徳資本家を生み出

---

(2) 資源を取り出し付加価値をつけて輸出する経済活動を指す語。
(3) 企業が所有しているが消費できない埋蔵されたままの化石燃料。
(4) 黒人は歩いているだけで犯罪者扱いされることを指す語。
(5) 被害者が自分の正気を疑うようになる心理的虐待。
(6) 一九六四年までアメリカの南部の州に存在した黒人差別の法体系であるジム・クロウ法のように、未だに黒人が体系的に差別されていることを示す語。
(7) 性的行為に必要な当事者同士の意識的かつ自発的な同意を表わす語。
(8) 生まれたときに診断された身体的性別と自分の性同一性が一致している人を指す語。
(9) その問題に関心があるふりをしながらコメントで荒らしをする行為や人。
(10) 直接疑問に答えずに話題をそらす論法。
(11) 反フェミニズムの男性中心の環境をいう語。
(12) 合法的移民が家族をアメリカに呼び寄せられること。

すのを隠蔽する不誠実なフレーズだったことや、ロナルド・レーガンが、福祉を不当に利用する欲深い架空の存在「福祉女王（ウェルフェア・クイーン）」を紹介し、そのために蔓延している貧困の事実が無視され、貧困層の援助削減が正当化されたことも。

嘘をつく方法は数え切れないほどある。人は、影響を受けるすべての領域を無視したり、重要な情報を除外したり、原因と結果を引き離したりすることで、嘘をつくことができる。情報を改ざんしたり、歪めたり、不均衡にしたりすることでも嘘をつける。あるいは、暴力に婉曲的な表現を使ったり、合法的な行動を中傷したりすることでも。たとえば、白人の子どもなら「たむろしている（ハンギング・アウト）」と表現される行動なのに、同じことをしている黒人の子どもには「ごろついている（ロイタリング）」や「こそこそ潜んでいる（ラーキング）」といった表現を使うというようなことがそうだ。言葉は、事実を消したり、歪めたり、間違った方向を指し示したり、おとりや注意をそらすものを使って人を混乱させる。言葉で死体を埋めることもできるし、それを掘り起こすこともできる。

人は、企業が雇った「スピンドクター」[13]を気候変動の専門家である圧倒的主流派の科学者と同等に扱って、気候危機のデータには二つの側面があるふりをすることもできる。この国がジェンダー・バイオレンス[14]に対してずっとやってきたように、点と点をつなぐことを避けることもできる。そうすれば、度を超したレベルのドメスティック・バイオレンスや女性に対する性暴力は、それぞれがまったく無関係の、多く存在するちっぽけな未報告のストーリーになる。犠牲者を責めるかストーリーを書き換えれば、女性は慢性的に攻撃されているのではなく、慢性的に不誠実で妄想的だということにできる。なぜなら、女性が慢性的に不誠実で妄想的であれば、これまでどおりでいられるが、慢性的に攻撃されているのが事実だとなると、現状維持ができなくなるからだ。これは、解体はときに建設的だということを思い出させてくれる。「生意気」、「キーキーうるさい」、「ふしだら」、「ヒステリック」といった女性をこき下ろすための言葉はとても多いが、これらが男性に対して使われることはほとんどない。「アピティ」[15]や「エキゾチック」[16]という言葉に、人種差別的な含みがあるのも同様だろう。

人は、対立がないところに対立をでっち上げることもできる——「階級対アイデンティティ・ポリティクス」という表現は、わたしたち全員が（階級とアイデンティティの）どちらももちあわせているということや、労働者階級と呼ばれる人の大多数が女性や有色人種だということを無視している。オキュパイ・ウォール・ストリート（ウォール街を占拠せよ）運動の「我々は九九％だ」というスローガンは、国民をいくつもの階層に分類する必要がない社会の展望を主張するものだったが、そこには、すでに主流の語彙として定着している（限られた富裕層である）「一％」に属する人びとのほうが、残りの国民全部を敵にして闘ってきたのだという含みがある。

対象が個人であれ地球そのものであれ、語りかける相手や扱う問題への敬意として、精密さ、正

(13) 情報操作に熟練し、世論を誘導する技術をもつ人物。
(14) 夫婦や恋人など親しい関係における暴力。
(15) 主に黒人に対して使われる。図々しいという意味。
(16) 主にアジアや中東系の人種に対して使われる。

確さ、明瞭性は重要だ。歴史的な記録に対する敬意としても。それはある種の自尊心でもある。多くの伝統的な文化では、人の価値は自分が言った言葉を守るかどうかで決まる。サパティスタ民族解放軍のマルコス副司令官のエッセイ集に『我々の言葉は、我々の武器だ（*Our Word Is Our Weapon*）』というタイトルのものがあった。もし、あなたの語る言葉が、信頼性がなく、ゴミで、嘘で、使い捨ての売り口上だったとしたら、あなたそのものが取るに足らぬ者ということなのだ。つまり、「オオカミが来た」と嘘をついた少年であり、ただのお喋りであり、ごまかし野郎ということなのだ。

すくなくとも、かつてはそうだった。だからこそ、現時点での危機のひとつは言語的なものなのだ。言葉は曖昧な意図のぬかるみへと退廃する。シリコンバレーは、「シェアリングエコノミー」、「ディスラプション」、「コネクティヴィティ」、「オープンネス」といったフレーズの数々に飛びついて上辺を飾り、自分たちのアジェンダを押し付ける。それらを「監視資本主義（サーヴェイランス・キャピタリズム）」といった用語が押し返す。現在の大統領の、まわりくどく、ろれつが回らない、意味不明の言葉のサラダや、たとえ昨日と今日で言うことが異なっても彼がそうだと言えば真実であり事実だという主張といった言葉の暴力は、言語そのものに対する暴力だ。いかなるものを提供しようが、現大統領が提供するものは常に無意味なのだ。

人生の意味の探求は、人生をどう生きるのかにかかっているが、同時に、それをどう言葉で述べるのか、また、自分のまわりにほかに何が存在しているのかにもかかっている。本書に収めたエッセイのひとつに、わたしは、「そのものを真の名で呼ぶことにより、わたしたちはようやく優先すべきことや価値について本当の対話を始めることができる。なぜなら、蛮行に抵抗する革命は、蛮行を隠す言葉に抵抗する革命から始まるのだから」と書いた。

「勇気づける」の意味は、文字通り、勇気を植えつけることだ。「崩壊（ディスインテグレーション）」は、統合（インテグリティ）や完全性（インテグレーション）が失われることである。言語に関して注意深く、正確であることは、意味の崩壊に対抗し、希望と展望を植えつけるべき愛すべきコミュニティとの対話を勇気づけるひとつの手段である。本書に収めたエッセイでわたしが試みたのは、ものごとを真の名で呼ぶことなのだ。

脇の下の垢（あか）

Armpit Wax (2014)

「女を教会から連れ出すことはできるが、女から教会を連れ出すことはできない」。カトリックの信仰を棄てた母が、アイスクリームに誘惑と罪業を見出し、ブロッコリーをその贖罪として扱うときや、過ちを犯したのではないかと思っただけで恐れに凍りつくとき、わたしは「そのよくある言い回し」そのものだと思ったものだ。母は教会の儀式や礼拝は棄てたが、自分が犯した過ちはすべて許されないという不安を棄てることはできなかった。あまりにも多くの人が完璧さを信じていて、そのために完璧ではないものすべてを貶めてしまう。完璧さは善の敵であるだけでなく、現実や可能性や楽しみの敵でもある。

わたしの母の懲罰的な神は、コヨーテの敵だ。いたずら好きで、好色で、災難をよく起こすコヨーテとそのいとこたちは、アメリカ先住民の物語に登場する、何をしでかすか予想不可能な世界の創造者である。現実世界が共同作業と小競り合いで作り出された、けっして完璧なものではないという見解をわたしに与えてくれたのが、このコヨーテだった。このような物語にわたしが出会ったのは約二五年前で、先住民カウィーア族の父を持つ前衛芸術家のルイス・デソトから彼の仕事について書くことを依頼されたときだった。ルイスが渡してくれたのは、口承神話であるカウィーアの天地創造物語を誰かが聞き書きしたもののコピーだった。カウィーアは数多く存在する小さめの部族のひとつで、現在カリフォルニア州として知られる広大な領域に住んでいた。

カウィーア族はかつてモハーヴェ砂漠の西部に住んでおり、ルイスが送ってくれた物語では、世界は闇と「あたかも歌声が遥か彼方から届いてくるような、美しくて遠い音」から始まった。そして、「世界は形がなく、空虚であり、深淵の表層には闇がたれこめていた」。母なる闇が二度流産したのちにようやく授かった双子の兄弟が成長してから、どちらが先に生まれたかでしょっちゅう争ったところまでは、旧約聖書の創世記とそう変わらない。

世界とそこに存在するあらゆるものをこしらえている最中、双子の兄弟は病と死も含めるべきかどうかで言い争った。口論に勝ったほうは人口が増えすぎることを案じていたのだが、負けたほうは憤慨して地球を見捨てた。そのときの慌ただしさで、彼はコヨーテやヤシの木やハエなど自分が創りあげたものを置き去りにしてしまった。兄弟のうち地球に残ったほうは、自分の娘や月に欲情を抱き、ガラガラヘビに猛毒の牙を与え、人間同士が争うのに使う武器を与えるというとても困った存在になった。そのために、創造された者たちは、彼を殺す方法を考え出さなくてはならなくなった。神々からしてこうなのだから、明らかに善良な人間などいないのだ。

わたしが住んでいるサンフランシスコのベイエリアのオローニ族によると、コヨーテは最初の存在だった。世界を創造したのはコヨーテであり、ワシであり、妻を妊娠させる方法がわからなくて考えあぐねているコヨーテを笑い者にしたハチドリである。（だがコヨーテはいつもそんなに「うぶ」ではない。五大湖のウィネベーゴ族の物語では、コヨーテは取り外し可能なペニスを、挿入追求という狡猾なミッションの長旅に送り出したのだ。まるで〔アボリジニ神話の〕天地創生の時代（ドリーム・タイム）から来たドローンのように。）カリフォルニアの詩人ゲーリー・スナイダーはあるとき、「親愛なるドクター・コヨーテは……善悪を区別するつもりはないのだ」と説明した。そのかわりに、コヨーテは周囲の者にも伝染するほど元気いっぱいで、素晴らしい創造力を持っている。カリフォルニアの別の創世伝説では、神々が生殖について口論をする。神のひとりは男と女が夜一緒に過ごすときには二人の間に棒を置くべきだと言う。そうすれば起きたときには赤ん坊が生まれていると。だが、もうひとりの神は、赤ん坊を作るときには夜になったらたくさん抱き合い、たくさん笑うべきだと主張した。

　失敗やセックス、即興に動じない柔軟な物語は、ジャズを連想させる。それとは対照的に、旧約聖書の創造者は、自分の作品が唯一の正しい方法で演奏されることを求める独裁的な作曲家である。蛇とお喋りして、おやつの果物でよくない選択をしただけで、炎の剣を持った天使がわたしたちを楽園から追い出した。その後につづくのは、すべて呪いと苦痛だ。「完璧さ」がすべてのものを測る基準なので、その基準に達する者などはいない。だから罪の償いが求められるのだ。

　世界の人口の半数以上が創世記の影響を受けているが、そのほぼ全員が何らかの形で「神の恩寵を失う」ことを信じている。宗教的ではない物語ですら、そういった構造を持つ傾向がある。保守派の人びとにとっては、神の恩寵を失う前の楽園には強い父親と慎み深く控えめな女性が住んでいて、クィア〔セクシャル・マイノリティ〕は存在しなかった。リベラル側にも、堕落や腐敗など何もなかった時代や、家母長制のコミュニティや、パレオダイエット[17]や、チーズから椅子までなんでも自分で手作りするといった楽園の物語がある。けれども、神の恩寵に期待するのをやめたら、恩寵を失うことも避けられるのである。そうすれば、「まあまあ」程度のことでも享受できるようになる。

カリフォルニア州北部の別の先住民であるポモ族によると、世界は創世者が脇の下の垢を丸めて作ったらしい。シエラネバダ山脈北部あたりに住むマイドゥ族によると、世界は原始スープの底を掻きむしった亀の爪から取り出した泥からできたということだ。

これらの古い物語はわたしが先祖から受け継いだものではないが、自分が受け継いだ物語を考え直させてくれる。完璧さが善の敵であるとしたら、不完全さは善の友かもしれないと。

---

(17) 狩猟採集時代を模倣する食事法。日本では原始人食とも。

I　大統領選挙の破壊的影響

Electoral Catastrophes

ドナルド・トランプの孤独

The Loneliness of Donald Trump (2017)

むかしむかし、底なしに際限なく貪欲な子が、裕福な家庭に生まれた。何ひとつ不自由がないというのに、持っていないものを欲しがり、すぐ手に入れられないと癇癪を起こした。たとえ欲しいものを手に入れても、そのたびにさらに別のものを手に入れたくなるのだ。その子はまずギザギザのオレンジ色の爪で海の底をコソコソと走り回り、欲しいものをわしづかみにして死肉を食べるカニになった。次には、ロブスターとそれを煮る鍋になり、シロアリになり、挙げ句に小さな帝国の暴君になった。親からもらった富で優遇されたスタートを切り、彼が役に立つ限り〔嘘や暴挙を〕大目に見てくれる犯罪組織や詐欺師の間を動きまわった。というか、裏切るか裏切られるまでは互いへの忠誠心を信条としている世界や、法律に縛られないルールがある場所では、彼を大目に見る緩さがあったのだろう。こうして七〇年もの間、彼は自分の欲望を満足させ、嘘をつき、盗み、雇った労働者に賃金を払わず、多くのヘマをやらかし、それらをそのまま放置し、さらに安っぽい宝飾品をかき集めて、すべてが崩壊するままにしたのである。

彼は偉大な創造主だということになっていたが、たいていの場合は破壊者だった。建物、女、企業を買収し、宣伝した後で放棄するというふうに、すべてを同じように扱った。企業は破産させ、妻たちとは離婚し、昔の木こりが川に流れる丸太の上を飛び歩いて製材所に行ったように、数多くの訴訟を切り抜けた。法律はグラグラおぼつかないし、法の執行者はもっとグラグラしていたから、彼が取引する闇社会の交渉人の間を動き回っているうちは、どうにか沈まずにやってこられた。けれども、彼の欲にはきりがなく、もっと手に入れたがった。そこで、彼は世界でもっとも権力がある男になる賭けをし、軽率な願望であるにもかかわらず勝ったのである。

彼のことを考えるとき、プーシキンが伝えた『金のさかな』という民話を思い出す。漁師の網に捕らえられた金のさかなが、海に戻してもらうのと引き換えに願いを叶えることを申し出るが、漁師は何も求めずにさかなを逃がしてやる。その後、漁師が妻に不思議ないきものとの出会いを話したところ、妻は洗濯桶をさかなに頼めと夫を送り返す。妻は次には、いま住んでいるあばら家に代わる戸建ての家を求め、願いを叶えてもらう。だが妻はさらに傲慢で欲深くなり、豪邸に住む大金持ちになって召使いをこき使いたいと、ふたたび夫をさかなのところに行かせる。老人は、妻の欲とその要求を伝える恥ずかしさの板挟みになり、さかなに平謝りする。それでいて妻のほうは、皇后になって、取り巻きや貴族たちに宮殿から夫を追い出させるのだ。この民話での夫は、他者と他者との関係における自分を認知する「自覚」と言えるかもしれない。妻のほうは「渇望」だ。

際限なく願いごとをしつづけたあげく、とうとう妻はさかなを超える海の支配者になることを願う。老人がこれをさかなに伝えて嘆くと、さかなは何も言わずに尾をきらめかせただけだった。浜辺で老人が振り向くと、そこに見えたのは昔住んでいたあばら家にいる妻と、壊れた洗濯桶だった。やりすぎ、求めすぎは危険だと、ロシアの民話は教える。もう十分ではないか、ありすぎるのは何もないのと同じだと。

世界でもっとも権力がある男、あるいは少なくとも、歴代のそういう男たちが占有した不動産に住む男になった子どもは、かつて家業を営んでいたのだが、次には自分が大企業のいかめしい帝王だという作り話に基づいた偽リアリティ番組のスターになった。実際には道化師なのに。彼の達成のそれぞれは、自我をくすぐるための鏡ばりの殿堂だったが、彼はそれを手に入れるとさらに大きな殿堂を求め、けっして諦めようとしなかった。

その人が残酷であったり、間違っていたり、愚かであったり、馬鹿げていたり、不条理であっても、あまりにも大きな権力を持ったがために、それらを指摘してやる者が周囲に誰ひとりいない男(女性にもいるが、まれである)にしばしば遭遇する。他人がどう感じているのか、何を必要としているのかを知ろうともせず、他人がどうなろうと気にしないというのは、ほかの人の存在を認めようとしないことであり、つまるところ、世界に自分以外誰ひとり存在しないのと同じだ。トップに立つ者はそうやって孤独になる。これらのしみったれた専制君主らは、正直な鏡や、ほかの人びとや、重力が存在しない世界に住んでいるようなものであり、自分がおかした失敗の悪影響からも逃れている。

F・スコット・フィッツジェラルドは、ある裕福なカップルの本質について「彼らは不注意な人間なのだ」と『グレート・ギャツビー』に書いた。「品物でも人間でもを、めちゃめちゃにしておきながら、自分たちは、すっと、金だか、あきれるほどの不注意だか、その他なんだか知らないが、とにかく二人を結びつけているものの中に退却してしまって、自分たちのしでかしたごちゃごちゃの後片づけは他人にさせる……」〔野崎孝訳、新潮文庫〕。わたしたちのなかには、無限の価値を持っている人に「おまえは役立たずだ」と言い、本当は賢い人に「おまえは馬鹿だ」と言い、実際には成功している人に「おまえは失敗している」と言う破壊的な人びとに囲まれている人がいる。けれども、このように他人を引きずり下ろす人と反対に位置するのは、お世辞を言ったりおだてたりする人ではない。寛容でありつつも言動への責任を求める人であり、あなたの本当の姿と言動を映す鏡になる、あなたと対等の人なのだ。

対等であるわたしたちは、お互いに誠実であり、批評や意見を取り交わし、意地悪や虚偽を許さない。そして、自分の意見に耳を傾け、敬意を払い、応対してくれるよう相手に求める。それは誰にも許されていることなのだ。わたしたちが自由であり、自分の価値を認めているのであれば。自分が抱えている欲求や恐怖や感情を他人も同じように持っていることを認識させてくれる公（ソーシャル）・対話（ディスコース）には、民主主義がある。オキュパイ・ウォール・ストリート運動に参加していた高齢の女性が語った「私たちは、すべての人が尊重される社会のために闘っている」という言葉に、わたしはいつも立ち戻る。まさにこれが民主主義の知性と心であり、政治と経済なのだ。

トランプ勝利の影響でハンナ・アーレントが驚くほど今日的な意味を持つようになり、彼女の著作の『全体主義の起源』はとくによく売れている。ラジオ番組の「オン・ビーイング」で、学者のリンジー・ストーンブリッジは〔ジャーナリストの〕クリスタ・ティペットに、自分を分裂させて自分自身を問いただす自己との内的対話の重要さを、アーレントが提唱したことを語った。この対話は、先の漁師と妻との間の実際の会話の代わりと言えるかもしれない。ストーンブリッジは、話をこう結んだ。「それができる人は、現実に他者との対話もできるし、他者を批判することもできる。アーレントが「悪の陳腐さ」と呼んだのは、他者の声を聴く能力がないことであり、自己との対話ができないか、世界と、つまり道徳的世界との対話ができないということだ」

自分の権力を使って対話を沈黙させ、軌道から外れて次第に劣化していく自我や意義の虚空のなかで生きる人もいる。それは、太鼓持ちとルームサービスだけが存在する孤島で正気を失っていくようなものであり、その人がそう言えばどの方向でも北を指す従順な羅針盤を持つようなものだ。家族の暴君であれ、小企業の暴君であれ、大企業の暴君であれ、国家の暴君であれ、権力は堕落する。そして、絶対の権力は、しばしばそれを持つ者の自覚を堕落させるか、あるいは自覚を減少させる。自己愛者（ナルシシスト）、社会病質者（ソシオパス）、エゴマニア[18]には、「他者」が存在しないのだ。

人は挫折や困難を通して、いつでも自分が中心というわけではない世界に慣れてゆき、自己や他者の認識を獲得するものである。そういった挫折や困難に対応しなくてもすむ者は、心が折れやすく、拒否に耐えられない人間に育ち、つねに自分の思い通りになるべきだと確信している。わたしが大学で出会った金持ちの子どもたちは、あたかも周囲にある壁を探そうとするかのように手足を振り回し、重力の存在を確かめて地面に叩きつけられることを願っているかのように親から相続した高みから飛び降りていた。しかし、金持ちの親と特権が硬い壁を緩衝パッドで覆い、地面に叩きつけられる前に安全網と衝撃吸収マットを投げかける。親が尻拭いをしつづけたために、自分の行動に責任を取る必要がなかった子どもたちにとって、どんな行動も取るに足らないことになってしまう。彼らは、大気圏外で宇宙飛行士のように漂っているようなものだった。

平等はわたしたちを正直でいさせてくれる。正常に機能している社会で自由な報道機関が行なうように、対等な立場の存在は、日常生活のなかで、わたしたちが誰であり、どう行動しているのかを振り返らせてくれる。不平等は妄想や嘘つきを作り上げる。非力な者は本心を隠すことを強いられる。だから、奴隷、召使い、女性は、嘘つきだという悪評を得ることになったのだ。権力者は、自分の要求に従って下級の者が嘘をつかざるを得ないことに鈍感になり、他者のことを知る必要についても鈍感になる。なぜなら、奴隷や召使いや女性は、値打ちがなくて取るに足らない者たちであり、沈黙を守り、自分を満足させるように訓練された者だからだ。わたしが特権階級と無関心さを対にして考えるのは、こういう理由からだ。無関心さは特権階級の人間の欠乏状態のあらわれなのだ。人が他者の言葉に耳を傾けなくなると、他者の存在が非現実的になり、荒廃した世界にたったひとりで取り残されることになる。そのせいできっと飢えることになるが、他者が存在することを深く本当の意味で想像するのをやめていたら、何に飢えているのかわからないだろう。他者との平等主義的な接触を求めるこの感覚を説明するのに、適切な言葉はない。というか、少なくともあまり話題にならない。

ある男が世界の最高権力者になりたいと願い、偶然の出来事と、介入と、一連の災難のおかげで、

(18) 病的に自己中心的な者。

願いがかなった。さらなる権力は、さらなるおべっか、さらなる威厳に満ちたイメージ、偉大な自分の姿を映すさらなる大きな鏡の殿堂を得ることを意味するのだと、彼は想像したに違いない。だが、彼は権力と卓越さを混同していた。男は友人や知人、妻や使用人をいたぶって服従させ、事実（ファクト）と真実（トゥルース）も脅して服従させた。自分は周囲の者よりも、真実よりも、偉大であると主張し、真実に対して自分の意志に屈服するよう要求した。真実は男の意志に屈することはなかったのだが、彼に服従した者たちはそのふりをした。もしかすると、彼は売り口上が自分の口を離れたとたんにそれを捨てて、新しい売り口上を口にするセールスマンなのかもしれない。餓鬼は、古いものではなく、いつも次の新しいものを欲しがるのだ。

この男は、ミダス[19]が手に触れるものをすべて黄金に変えたように、権力が自分を偉大にしてくれるだろうと想像したのだ。だが、大統領の権力はこれまでと同じだ。それは、人間関係上の制度であり、大統領が与えた命令を実行する人びとの意志に頼る権力であり、大統領が法と真実と国民を尊重することから生まれる意志なのだ。誰も実行しない命令を与える男は、自分が非力である恥を人前に晒している。就任してまだ日が浅いころ、大統領の手先のひとりが、「大統領の権限は疑いの余地がない絶対のものだ」と表明した。こうした声明を発して、すでに恐れを植え付けられている下々の者を震え上がらせようとする、暴君というわけだ。

真の専制君主は協働のパワーに頼ろうとせずに命令を下し、ならず者、殺し屋、シュタージ[20]、親衛隊、暗殺部隊を使って強制的に実行させる。真の専制君主は政府の体制を自分に従属させ、法制度や国の理念よりも自分に対して忠実であるよう求める。だが、この専制君主志望者は、自分の党に属する議員以外の政府機関で働く多くの者(たぶんほとんど)が、彼ではなく法や理念に忠実だということを理解していない。「大統領の権限は疑いの余地がない絶対のものだ」と公言したホワイトハウス補佐官のスティーヴン・ミラーは笑い者になった。大統領は王が宮廷の廷臣を呼び出すかのように、FBI、NSA(国家安全保障局)、国家情報機関の長官と個人的な法律顧問チームを召喚し、証拠をもみ消して調査を中止するよう命じたが、彼らの忠誠心が自分に対するものではないと気付かされる羽目になった。悔しいことに、この国はまだ共和国であり、自由な報道はそう簡単に止めることはできないと思い知らされたのだった。公衆も脅しに屈するのを拒み、大統領がなにかをやらかしてツイートするたびに、意気ごんで嘲笑(あざわら)った。

真の専制君主は海の向こうのプーシキンの国にいる。国の選挙を腐敗させ、銃弾や毒、そして事故に見せかけた不可解な死で政敵(とりわけ、ジャーナリスト)を排除する。彼は真実を戦略的におし曲げるのに成功し、恐怖を広めた。とはいえ、彼もアメリカの選挙への介入で手を広げすぎた。見えないところでやったつもりだったのに、全世界が不安と憤りを覚えながら、彼の過去や行動とその影響をつぶさに調べ上げることになった。アメリカ合衆国やヨーロッパ諸国での選挙への介入でロシアは真の姿を露呈し、これまでの評判と信頼は破滅したかもしれない。

アメリカの道化者が下した命令は拒まれ、彼の秘密はあまりにもダダ漏れで、執務室はまるでべ

(19) ギリシア神話に登場する王。
(20) ドイツの秘密警察。

ルサイユ宮殿の噴水のようだった。というか単なるザルかもしれない。彼が就任してまだまもないころ、匿名の三〇人からの情報に基づく驚くような記事が『ワシントン・ポスト』紙に掲載された。そして、大統領が実行したかった課題は、ほとんど非力だとみなされていた少数派の党によって阻まれた。司法は大統領の執行命令を停止しつづけ、スキャンダルが腫れ物や潰瘍のように吹き出した。アメリカの住民は、選挙やそれ以外の闘いの場で、多くの手段を使ってかつてないほどのレベルで抵抗している。取るに足らない美人コンテストのいかがわしい世界や、カジノ、高級コンドミニアム、嘘の教育と本物の借金を与えてくれる偽大学の独裁者であり、嘘だらけのリアリティ番組で他人の偽りの運命を司るマスターであり、すべての意義や意味があるものの裁定人だった男は、「運命の道化[21]」になった。

彼は世界でもっとも嘲笑された男でもある。大統領就任直後の二〇一七年一月二一日の〔全米で何百万人もの女性が抗議デモをした〕「ウィメンズ・マーチ」のときには、ひとりの男性が一日のうちに拒まれた女性の数では史上最高記録だと笑われた。新聞、テレビ、風刺漫画、海外の首脳から嘲笑われ、何百万ものジョークのネタになった。そして、ツイートするたびに、彼の膨張した権力に対して痛烈な真実を突きつけることに快感を覚える一般市民から、すぐさま侮辱の猛攻撃にあった。

彼はすべてを欲しがった老いた漁師の妻であり、遅かれ早かれ、彼女のようにすべてを失うことになるだろう。浜辺のあばら家の前に座っていた妻は、願いごとをする前よりもずっと貧しくなっていた。もとは貧困だけだったが、いまや、過ちを抱え、破壊をもたらすうぬぼれを持ってしまい、それなしにすませることができた権力や栄光に押しつぶされてしまった。そして、そのすべてが自業自得だった。

男は、真っ裸(まっぱだか)で卑猥な、慢心が吹き出した膿疱(のうほう)である自分の姿をどぎつい光にさらされながらホワイトハウスに座している。無節操の道楽で理解力が鈍ってしまったために、自分が理解に欠けているということも把握していない。彼は、綱渡りをしている意識下のどこかでは、自分が己のイメージを壊したことに気づいているはずなのだ。そして、ドリアン・グレイ[22]のように、彼もいつか自分が作った腐蝕に破壊されるだろう。いずれにせよ、これが彼を破滅させる。何百万人も道連れにするかもしれないが。そして、いずれにせよ電波の王であることを名乗ったときから、彼は自分が崖から足を踏み外して急速に落下していることに気づいている。地上で彼を待つのは糞の山だ。その糞はすべて彼自身のものである。彼が自分の糞の中に墜落するとき、ようやく独力で結果をもたらした本物の「セルフ・メイド・マン[23]」になれるというわけだ。

CODA:(2018. 7. 16)

追記

トランプがウラジーミル・プーチンとの密会から現れ、プーチンへの服従をあからさまにして

---

(21)『ロミオとジュリエット』のロミオの台詞。

(22) オスカー・ワイルド『ドリアン・グレイの肖像』の主人公。悪徳を重ね、最後は自滅する。

(23) 独立独歩の男の意。自助努力により成功した人物に用いられることが多い。

(たいていの者は彼がやることにはもう驚かないが)世界中に衝撃を与えた二〇一八年七月一六日の朝に、この追記を書いた。[24]

むかしむかし、ある男がある約束を取り交わした。彼は世界の王、あるいは外見からは王に見える者になる、だが、そのためには、自分の秘密と記録のすべてを掌握し、いつでも自分を王座から引き下ろせる力を持つ怖ろしい男を自分の王にしなければならない、というものだ。彼は満悦し、自慢し、威張り散らし、自分の創造主に会わねばならないときまで、脂ぎった自己愛の流れに沿って、気楽に泳いでいた。密会の席で、創造主はギラギラ光る瞳で彼を見据え、約束ごとの中身や、誰が彼を支配しているのか、どこに(殺人の証拠である)死体が埋められているのかを思い出させた。死体は土をかぶせていない墓穴に埋められていて、墓そのものが、真珠のような墓石でできた歯を見せてニヤニヤ笑いながら彼を見上げているのだ。

密会の部屋から出てきたときの男は、自分を除くすべての者の王であるといっても、実際にはまったく王ではなく、ただの駒にすぎないと悟っていた。彼についた首輪はとてもきつく、リードはとても短く、自分の君主らしさは見せかけだけのごまかしだと知らしめられていた。彼は、悲しくて、惨めで、怯えていて、部屋から這い出てきたときには、ふだんは愚痴っぽく、気取っていて、がなるような彼の声が、負け犬のように平坦で怯えたものになっていた。彼が仕える王は、いたずらをした子を大目に見てやるような悪意を含んだ目つきで彼を観察し、獲物を見る猫のような笑みを浮かべていた。だが、彼の周囲の怪物たちのうちの誰ひとりとして、重大な岐路で、イエスの名において全世界を手に入れるのとひきかえに、生きているうちに取り立てにくるかもしれない者に魂を売ることの是非を問おうともしなかったのだ。

男の信奉者らは、慌てて批判することで逃げ出し、背を向けた。彼がやったのはとくに新しいことではなかったが、世間は彼が隣にいるチェシャ猫の笑みの罠に深くはまりこみすぎたと見なすようになったので、もはや、あえて男を支持しようとも、それが罠でないと否定しようともしなかった。これは、彼の時代が終わり、新しい時代、つまり、彼の興隆と同じくらいに劇的で奇妙で不測な凋落が始まった日だった。この日は、彼の信奉者らが、新しい罠である声明を出した日だった。その罠は、男の潔白を証明するためについた自分たちの古い嘘が出てくるのを防ぐためのものだった。彼らは男の犯罪から足を洗おうとしはじめたが、彼ら自身がその汚れだった。彼らは〔汚れである〕自分自身を洗い落とそうとしたのだ。けれども、男が大統領の座を勝ち取るために失ったものの真実について語るたびに、男がくりかえし侮辱した（男が多かれ少なかれ率いていた）政府の公僕と元公僕である政府機関の人びとが次から次に立ち上がり、男が売国奴であり、嘘つきであり、愚か者であり、本来なら彼が守るべきものを破壊する妨害工作者だと批判した。

この日、何かが変わった。巨大かつ具体的で、はかりしれない転換が起こった。数年後に歴史が書かれたときには計算できるかもしれないが、この時点ではまだその大きさをほとんど想像することができない。

---

(24)　この日にヘルシンキで米ロ首脳会談と合同記者会見が催され、トランプは選挙介入についてプーチンを追及しなかった。

ミソジニーの標石（マイルストーン）

Milestones in Misogyny (2016)

二〇一六年一〇月九日、[*1] 大統領選の二回目の公開討論が行なわれた。女たちはその後、過去の悲惨な体験がフラッシュバックとして蘇ったり、悪夢を見たり、眠れなくなったとわたしに語った。討論で使われた言葉は重要だったが、それがどのような状況で伝えられたのかも重要だった。ドナルド・トランプはヒラリー・クリントンが話しているときに、一八回も割り込んだ（最初のディベートでは五一回だった）。ちょうど数日前にトランプが女性の「プッシーを」[(25)] 摑むことを自慢している録音が公になっていたので、それについてモデレーターのアンダーソン・クーパーが質問したところ、「だが、あれはよくある「更衣室でのお喋り」みたいなものだ。僕はイスラム国（ＩＳＩＳ）をこてんぱんにやっつける……それにもっと重要なこと、もっと大きなことについて取り組むべきだろう」と答え、「アメリカを再び安全にしよう（メイク・アメリカ・セーフ・アゲイン）」と約束した。しかし、彼の手から守って安全にすることは約束しなかった。この週、女性とイスラム国は、トランプが攻撃することを約束した対象として、非公式にひとまとめにされたのである。

しかし、言葉は行動に付随するものである。トランプは討論の最中に自分の位置を離れてうろうろし、立ちはだかり、睨みつけ、怒鳴りつけ、演壇を両手で握りしめてあたかも性交しているかのように腰を前後に振った。その姿は一時的に空想にふけっているかのようだった。彼の威嚇があまりにもドラマチックで、ヒッチコック的だったので、ハリウッドの作曲家のダニー・エルフマンが、とりわけ不吉な瞬間を集めて編集した映像に合わせてサウンドトラックを作ったくらいだ。「討論の途中、トランプがヒラリーの背後で体を揺らしているのは、ちょっとゾンビ映画みたいだった」とエルフマンは言った。「次の瞬間に、トランプがヒラリーをうしろから襲って頭をもぎ取り、脳を食べてしまうんじゃないかって」。わたしの友人たちはトランプが彼女を暴行するのではないかと思ったそうだが、わたしもトランプが彼女を睨みつけ怒り狂うのを見て、その可能性を思った。彼は、言うなれば彼女のパーソナルスペースに侵入していたのであり、それにもかかわらず冷静さを保つことができ、メッセージを伝えることから逸脱しなかった彼女は、英雄的だった。多くの男性がそうだったように、トランプも大統領選の最初から最後まで、彼女がそこにいたことに憤慨しているかのようだった。そことは、大統領選であり、公開討論で彼女が占めていたスペースだ。

九〇分のディベートで、トランプはステージ中をうろつきまわり、クリントン（以下、ヒラリー・クリントン）の言葉を遮って彼女の声や言葉をかき消そうとし、彼女が嘘をついていると繰り返し主張して信用を傷つけ、ガスライティングをし、性的に辱め（はずかし）（ビル・クリントン元大統領からセクシ

（25） 女性器の俗称。

ャル・ハラスメントあるいは性的暴力を受けたと訴えている三人の女性をトランプが自分の家族専用席に招こうとして話題になった公開討論のこと）、牢屋に入れてやると脅した。また、この討論の前には彼女を銃で撃つように促していたのだ。いつものように観衆が容易に怒りを煽られる彼の選挙集会で、トランプは「ヒラリーは〔個人が銃器を保有・所持する権利を保障する〕憲法修正第二条を基本的に撤廃しようとしている」と大声で呼びかけたあとに、彼の専売特許である偽りを語り、「ところで、彼女が〔当選して〕最高裁判事を選んだら、もうあなたたちにできることは何もないよ。でも憲法修正第二条擁護派のみなさんならできることはあるかもしれないよ。僕は知らないけどね」と無頓着に脅迫を付け加えた。共和党全国大会では、前ニュージャージー州知事のクリス・クリスティーが「彼女を牢屋に入れろ！」のスローガン詠唱を先導した。そして、「ヒラリー・クリントンは夫を満足させられないくせに、アメリカを満足させられるとでも思っているのか」という自分の支持者のツイートをリツイートもした。大統領は超常的な方法で国家と結婚するとでもいうのだろうか？　そうだとしたら、アメリカはもうじき、結婚詐欺師から嘘をつかれ、脅され、ガスライティングされ、裏切られ、強奪され、苦しめられた、ドメスティック・バイオレンスの女性被害者になるだろう。

太鼓腹で、それを隠すようにブカブカのスーツを着てボタンを外し、頭から滲み出たような髪型で唇を奇妙な形にすぼめ、他人を嘲笑ったり、憤ったり、自画自賛するたびに道化師のような表情をつくるトランプは、歩く「家父長制度」だ。彼が選んだ副大統領候補は、対照的にスリムでボタンを首までかけ、髪を短く切りそろえて恒久的にしゃちこばり、トランプとは異なり実際に政治経験もあるマイク・ペンスだ。だが、インディアナ州知事としての四年の任期中に、反人工妊娠中絶の八つの法案を承認し、不運な美人コンテストの出場者を狙ったトランプのように、全米家族計画連盟(Planned Parenthood)を狙ったペンスも、歩く家父長制度であることは同じだ。性と生殖に関する権利(リプロダクティヴ・ライツ)のように、共和党の政策はいつものごとく、白人、男、異性愛者に属さない者の権利であれば、ほぼなんであれ奪い去るのに懸命だ。

ミソジニー(女性嫌悪/女性蔑視)はそこらじゅうに存在している。政治の右からも左からも来るし、クリントンはそのターゲットだったが、あらゆる政治的見解の女性にもまき散らされた。はじめのころには、トランプの怒りはFOXニュースの司会者であるメーガン・ケリーに向けられていた。それまでトランプが女性の外見について発言した侮蔑的なコメントの数々について、共和党候補者の公開討論のモデレーターとしてケリーが質問したからだった。トランプはCNNの番組で、「彼女の目から血が出てくるのが見えるようだった。彼女のほかの部分からも血が流れ出ていたよ」という奇妙な発言をした。彼は共和党予備選のライバル候補者の妻たちや、女性候補であるカーリー・フィオリーナの顔もけなした。そして、元ミス・ユニバース優勝者のアリシア・マチャドへの対応[26]についてクリントンにけしかけられたときには、それに応じて真夜中の連続ツイートでマチャドを攻撃した。そして、「プッシーを掴んでやる」という発言を収めたビデオが公開されたあとにトランプから性暴力をふるわれたことを名乗りでた女性たちをも攻撃した。

(26) 優勝後に体重が増えたマチャドを「ミス・ピギー」と呼んで蔑んだこと。

トランプの代理人や支持者は、ミソジニー部隊のようなものでできている。人気トーク番組「ザ・ビュー」の元出演者であるスター・ジョーンズいわく、「ニュート・ギングリッチ、ルディ・ジュリアーニ、クリス・クリスティーと、三大ミソジニー男を揃えている」のだ。このミソジニー部隊には、オルタナ右翼サイト『ブライトバート・ニュース』の会長〔二〇一八年に辞任〕であるスティーヴ・バノンも含まれている。バノンはマイロ・ヤノプルスを雇い、男性の権利ムーヴメントを駆り立てている女性嫌悪と白人優位主義や反ユダヤ主義とをひとまとめにし、極右の怒りの新たな派閥を作る後押しをした。FOXニュースの創業者兼最高経営責任者だったロジャー・エイルズは、何十年にもわたって女性社員にセクシャル・ハラスメントやグロテスクな侮辱や性的搾取を行なってきた。二〇人以上の被害者が証言して二〇一六年七月にFOXニュースを解雇されたのだが、その後で彼はトランプのディベートのコーチになった。この関係はすぐに破綻したのだが、それはトランプに集中力がないことにエイルズがフラストレーションを覚えたからだと言われている。FOXニュースの〔女性〕司会者であるアンドレア・タンタロスによると、エイルズの指揮下でのFOXニュースは、「脅迫と猥褻(わいせつ)とミソジニーが蔓延し、性欲に煽られたプレイボーイ・マンション的なカルト」だったという。極右の台頭と誠実なニュースの没落は、ある意味、ひとりの男が営んでいた娼館でもあるテレビ局が企んだことだったのだ。しかし、右翼の年寄りの男たちがミソジニストだというのは、ワニが噛むものだというほど驚きがない。

クリントンは、たとえば野心といった、男性政治家に対してはほとんど使われない性質でしょっちゅう非難されていた。だが、彼女を含めて選挙に出馬する者なら誰でも、野心は持っていると考えて間違いないだろう。けれども、大衆向け心理学雑誌の『サイコロジー・トゥデイ』の見出しからすると、クリントンは「病理学的に野心家」かもしれないらしい。彼女は自分の考えを発言することで非難されたのだ。バーニー・サンダースが大声で憤慨し、トランプがわめいたり嘲り笑ったりしているというのに、FOXニュースの〔男性〕コメンテーターであるブリット・ヒュームは、クリントンの「刺々(とげとげ)しく、説教するような口調」について「魅力的ではない」と文句をつけた。MSNBCテレビ局のローレンス・オドネルは、マイクの使い方について公の場で彼女に指導した。ボブ・ウッドワードはクリントンが「わめいている」と嫌味を言い、政治新聞『ザ・ヒル』の編集者ボブ・キューザックは、「ヒラリー・クリントンが声のトーンを上げたら、彼女は落選する」と言った。女性はなまめかしい囁(ささや)き声で政治キャンペーンをするべきだと言われているような気がしてしまう。だが、もちろんそんなことをしたら、パワーを発揮していないと言われる。でも、パワーを発揮したら女性として失敗することになる。つまり、パワーは、現在の社会構造では男性の特権であり、もともと女性を含めて設定されていないということなのだ。

作家のサディ・ドイルは、こう書いた。「女は悲しんでもいけないし、怒ってもいけない。でも、幸せそうでもいけないし、愉快そうにしてもいけない。そのうえ、女はこれらの感情を表現しないように押し殺してもいけない。文字通り、そこからの逃げ場はないのだ。いかなることであれ。女がやることはすべて間違っているのだ」。嘘やいやらしい目つきまで、トランプがやっていることを女性候補がやるのを想像するだけで、男性への許容範囲が大きいことが理解できるはずだ。女性参政権獲得のために闘った人権運動家のスーザン・B・アンソニーは、一九〇〇年に「女性たちによる前進の一歩のなかでも、公の場での演説ほど激しい反対にあったものはない」と語った。「参政権を確保しようとすることですら、女が公の場で語ることほどには、虐待され、非難され、敵対視されることはなかった」と。あるいは、〔イギリスの古典学者の〕メアリー・ビアードが数年前に言ったように、「我々は、女性の沈黙を求める特定の男性文化的欲求から逃れたことがない」のだ。

トランプは自分が打ち負かしたいフェミニズムやリベラリズムやほかのある種の力とクリントン個人を同一視しているようで、彼女が三〇年も権力の座についていて並外れて巨大なパワーを持ち、討論でトランプがのしかかろうとしたように彼女が国にのしかかっているというテーマを、しつこく繰り返した。政治的に左よりの者も右よりの者も、夫よりも妻のクリントンにより大きな責任を追わせ、実際にイラク戦争を開始したブッシュ政権についてはほとんど触れずに、〔賛成票を投じた〕彼女のほうにより大きな責任を持たせた。そして、国務長官としてオバマ大統領のアジェンダに従っただけなのに、まるでその逆のように責任を追及された。これらの語りは、クリントンを無制限な権力を持つ悪魔、あるいは既に権力を持っていて再び権力を求めようとする邪悪な女として描くものだ。こういったナラティヴから、女が得る力はいかなるものであっても男性にとって大きすぎるし、多くの男性が女性を非常に恐れているということが感じとれる。

少なくとも一九九二年から、クリントンの存在そのものが多くの人びとを怒らせてきたようだ。ミソジニーとクリントンについて語るのはややこしい。なぜなら、彼女は何十年にもわたって多くのことをしてきた複雑な人物だから。彼女の発言や行動について同意できない理由や嫌いになる理由は確かにある。だが、それだけでは、彼女の周囲に渦巻いている高ぶった感情を説明することはできない。保守主義の家庭で育ち〔選挙権がない高校生のときに〔一九六四年の共和党大統領候補の〕バリー・ゴールドウォーターの選挙応援をしたというだけで、〔二〇一六年の大統領選挙のときに〕「ゴールドウォーター・ガール」と呼んで彼女を嫌う左よりのリベラルがいた〕、一九六八年と一九七二年の大統領選挙ではもっとも左よりの民主党候補を支援するラディカルになった。そして、その後の選挙ではテキサス州でラテン系アメリカ人の選挙登録を行ない、学位論文はアメリカでの草の根運動と学生運動の基盤を作ったと言われるソウル・アリンスキーについて書き〔アリンスキーは彼女に仕事をオファーした〕、その後は女性と子どもの権利を擁護する弁護士になった。彼女は一九八〇年代に極端な左よりから右よりにシフトしたのだが、それは彼女の夫であるビル・クリントンの故郷であるアーカンソー州の政治的環境か、あるいは〔全米で支持率が高かった〕レーガン大統領の時代に順応するためだったのかもしれない。

彼女のキャリアについて、フェミニストとしての高得点や新自由主義としての低得点を挙げることはできるかもしれないが、アメリカ合衆国の未来のほうに、より興味を抱いている人にとっては、彼女の二〇一六年の選挙政策がもっとも現実問題に直結していたはずなのだ。しかし、誰もそれがどのようなものか知らないようだった。主要メディアが大統領選の報道に何百時間も費やしたなかで、候補の政策に費やしたのはたったの三二分だったのだ。多くの政治家は政策や政治的立場で嫌われてきたが、クリントンの政策や政治的立場はバーニー・サンダースと近いことが多かった。また、彼女の夫や、バラク・オバマ、ジョー・バイデン、ジョン・ケリー、ハワード・ディーンといった、近年の民主党の著名な男性政治家たちの政策や政治的立場と同様か、彼らより左よりだった。

それなのに、男性政治家たちがそのまま受け入れられたり、あるいはただ嫌われたりしただけなのに対し、クリントンへの態度は激怒になった。彼ら男性政治家たちに対する恨みつらみは、彼女が直面したヒステリックな憤怒に比べたらかすり傷程度だ。それでも彼女は奇跡的に前進をつづけたのだ。

トランプの「アメリカを再び偉大にしよう(メイク・アメリカ・グレート・アゲイン)」というスローガンは、石炭が素晴らしい燃料であり、一九五六年のような製造業のブルーカラー職があり、女は家庭に属し、白人男性の需要が最優先だった、白人男性優越主義の「ネバー・ネバーランド(架空のユートピア的世界)」への回帰を呼び起こすものだったようだ。大統領選の後、クリントンが敗北したのは、いわゆる「白人労働者階級」に十分な配慮をしなかったからだという意見に、左よりのリベラルの多くが賛同した。だが、女性を無視したという非難がなかったことをみると、この「白人労働者階級」という表現は「白人男性」の隠語らしい。トランプの勝利にどのグループよりも貢献したのが、このような男たちだ(六三%がトランプ、三一%がクリントンに票を投じた)。

クリントンが大統領選で敗北したのは、共和党が長年にわたって有色人種が多い地域の投票所の数を減らし、投票時間を制限し、投票する可能性がある者に脅しや嫌がらせをし、投票者に身分証明書を求めることで運転免許証やパスポートを持っていない有色人種の有権者登録を困難にする「有権者ＩＤ法」などを立案し、何百万人もの有色人種の選挙権を剝奪した長期戦略のせいだと考えられる。または、ＦＢＩによる選挙前の介入、長年にわたるメディアのネガティヴな報道、彼女が勝たないようにする外国からの妨害工作やミソジニーが影響しているとも考えられる。それなのに、彼女が負けた理由として聞こえてくるのは二つのストーリーだけなのだ。しかも、これだけ不公平な扱いを受けたにもかかわらず、票数ではトランプに三〇〇万近い差をつけて勝ったというのに(彼女が獲得した票数はアメリカ大統領選のいかなる白人男性よりも多い史上最高数だったというのに、誰もそれについては語らないのだ)。

「白人労働者階級に配慮しなければならない」という分析は、彼女が負けたのは白人男性に十分な配慮をしなかったからだということを言っている。こうした分析をする者たちは、アメリカ人の三七%は白人ではなく、五一%は女性だということには興味がないようだ。テレビ、映画、新聞、スポーツ、書籍、そしてわたし自身が受けた教育や生活からずっとそういう印象を抱いてきたのだが、わたしたちの国のすべての行政レベルで誰がもっとも多くの座席を持っているのかを考えれば明らかなように、白人男性はすでに多くの配慮をされている。

彼女が敗北した理由としてメディアが語ったもうひとつのストーリーは、四三%がクリントンに、五三%がトランプに票を投じた、白人女性についてのものだった。すべての女性がフェミニストであるべきであり、フェミニストになれるのは女性だけだという思い込みを根拠に、わたしたち女はトランプに票を投じたことを非難された。アメリカ合衆国に住む女性の多くがフェミニストではないということに、わたしは驚かない。フェミニストであるためには、自分たちが平等であり、同じ権利を持つと信じなければならない。だが、自分が属している家族やコミュニティや教会や州がそれに同意しない場合には、日常生活で居心地が悪くなり、危険にもなる。一一秒ごとに女性が殴られるこの国で、しかも一〇代から四〇代までの女性に暴力を与える加害者のトップが現在や過去のパートナーであるこの国では、多くの女性にとって、自分が平等で同じ権利を持つと考えないほうが安全なのだ。そして、フェミニズムが恒久的に歪められ悪者扱いされている国では、男女が平等で同権だという信念は普遍的なものではない。また、(すべての人種カテゴリで男性のほうが女性より多くトランプに投票し、全体では女性の五四%がクリントンに、男性の五三%がトランプに投票したのだが)白人女性ばかりが非難されているのに対して白人男性は見逃されているところをみると、女性が人種差別者に投票するのは、男性よりもっと悪いことらしい。

このように女は自分のジェンダーへの忠誠心がないことで嫌われる。だが、面白いことに、女は自分のジェンダーへ忠誠心を抱いても嫌われるのだ。女は主要な女性候補を支持すると、生殖器で投票していると責められる。けれども、アメリカの歴史を通じて、たいていの男性が男性候補を支持しているのに、ペニスで投票していると責められたことはない。ペニスについて唯一ディスカッションがあったのは、共和党の予備選の公開討論で、マルコ・ルビオ候補がトランプのものが小さいことを匂わせ、トランプがそうではないと自慢したときだけだった。だが、女優のスーザン・サランドンは「私はヴァギナで投票しない」と(クリントンを支持しないことを)公言し、そのうえでグリーン党の女性候補ジル・スタインに投票した。女性という意味ではスタインもクリントンと同じくらいヴァギナ的候補だと思うのだが、どうやらそうではないらしい。

マーク・リラは『ニューヨーク・タイムズ』紙に、「最近の大統領選の選挙運動とその不名誉な結果から得た多くの教訓のうちのひとつは、アイデンティティ・リベラリズムの時代は終焉させるべきだということだ」と書いた。ヒラリー・クリントンが選挙運動のすべてのイベントで、黒人、ラテン系、ＬＧＢＴ、女性の有権者にはっきりと呼びかけたことを、リラは糾弾した。「これは戦略的な失敗だった。もし、アメリカに存在するグループについて語るのであれば、すべてのグループについて語るべきだった」と。このリストに載っていないグループとは誰のことなのか？　クリントンがアジア系やアメリカ先住民を無視したことにリラが憤っているとは想像し難いので、実際にはアメリカ人のマジョリティであるヘテロセクシャルの白人男性のことを指しているのは明白だ。「アイデンティティ・ポリティクス」は、人種、ジェンダー、性的指向を語る際の否定的な用語になっている。それは、アメリカ合衆国で解放運動（リベレーション）（権利獲得運動）が過去一六〇年にわたって受けた扱いとほぼ同じだ。その尺度では、フレデリック・ダグラス、ハリエット・タブマン、エリザベス・キャディ・スタントン、スーザン・Ｂ・アンソニー、アイダ・Ｂ・ウェルズ、ローザ・パークス、ベラ・アブザグ、エラ・ベイカー、ベイヤード・ラスティン、マルコム・Ｘ、デル・マーティン、ハーヴィ・ミルクらは、さっさと捨てるべきアイデンティティ・ポリティクスの単なる卑しい実践者ということになってしまう。ノー・アイデンティティ政策の人気に便乗したバーニー・サンダースは、大統領選直後に「「ねえ、私はラテン系よ。私に投票して」では十分ではない。私はそのラテン系女性がこの国の労働者階級のために立ち上がってくれるのかどうかを知りたい……誰かが「私は女。私に投票して」というのでは十分ではない。違う。それだけじゃだめなんだ」と説いた。だが実際には、クリントンはそんな発言をしたことはない。トランプは「僕は白人だ。僕に投票してくれ」とひっきりなしに積極的にアピールしたではないかと反論できるし、サンダースでさえ同じメッセージをそれとなくほのめかしたし、言葉にせずともその恩恵を受けた。〔ウェブメディア」『ヴォックス』のジャーナリスト、デイヴィッド・ロバーツは、クリントンの選挙運動の演説について単語の登場頻度（ワード・フリークエンシー）分析を行ない、彼女がもっとも多く語ったのが、労働者、職、教育、経済についてだったという結論を出した。それらの単語は、彼女が無視していたと非難されたことそのものだ。彼女は職について六〇〇回も語り、人種差別、女性の人権、人工妊娠中絶に関してはそれぞれ数十回ほどしか触れなかったのだ。女性というジェンダーについて喋るのをやめられないのは彼女以外の誰もかれもなのに、クリントンはそればかり語る女というイメージを描かれたのだ。[*2]

二〇一五年の冬にサンダースの約束によって目覚めたユートピア的理想主義が、なぜアンチ・バーニー・サンダースとしてのクリントンという、二元主義的な嫌悪にまたたく間に変貌していったのかは、この不可思議でおぞましい大統領選のミステリーのひとつなのだが、その憤怒や激しい憎悪はあまりにも強制力があり、総選挙でトランプが勝利してようやく、多くの人が民主党の予備選から目覚めたようである。彼らはそのときまで、クリントンがまだサンダースに対して選挙戦をつづけていると思いこんでいた。あるいは、彼女をお母さんのように避けられない存在だと思いこんでいた。どうせ勝つだろうから、安心して憎める対象として。わたしの周囲の多くの人は、疑いの余地がない宗教的な献身に由来するかのようにサンダースを愛し、さらに熱狂的にクリントンを嫌悪した。右派の抱く嫌悪は、トランプの選挙戦の集会の場で、実際の暴力となって繰り返し撒き散らされた。だが、左派もその暴力的感覚を共有していたのだ。

似た考えを持つ集団の中だけで情報や意見を交わして確かめあい、疑問や反論や複雑さを語る者を罰するという群集心理や不合理な集団思考を、わたしはいたるところで見てきた。小説『一九八四年』の二分間憎悪の集団セッションを思い出した。

〈二分間憎悪〉の恐ろしいところは、それぞれが役を演じなければならないことではなく、皆と一体にならずにはいられないことだった。三十秒もすると、どんなみせかけも必ず不用になった。醜悪なまでに高揚した恐怖と復讐心が、敵を殺し、拷問にかけ、鍛冶屋の使う大槌（おおづち）で顔を粉々にしたいという欲望が、スクリーンに見入るもの全員のあいだを電流のように駆け抜け、本人の意志に反して、顔を歪めて絶叫する狂人へと変えてしまうのだ。それでもそこで感じる怒りは抽象的で、方向の定まらぬ感情であり、鉛管工の使うガスバーナーの炎のように一つの対象から次の対象へと転換しうる。〔ジョージ・オーウェル／高橋和久訳『一九八四年［新訳版］』ハヤカワ epi 文庫〕

ここに描かれたような感情がクリントンに向けられていたし、彼女を支持するいかなる者に対しても、反逆罪呼ばわりやその他の悪口雑言と共に、同じ感情が向けられる状況だった。ヒラリー支持者の多くは沈黙するか内緒で支持したのだが、選挙を戦っている候補者にとって必要なのはそのような支持ではない。サンフランシスコに住む友人はこう書いていた。

わたしが知っているクリントンに投票するつもりでいたすべての女性や、ほぼすべてのジャーナリストとオピニオン記事のライターが、フェイスブック（Facebook）の投稿からメジャーなメディアの長文の記事まで、クリントンに対する肯定的な意見を書くたびに、「彼女は、もちろん完璧な候補ではないのだけれど……」とか「私自身はもちろん彼女の経歴のいくつかの点で深刻な問題を感じているのだけれど」といった一文を加えていた。これが、最悪の「激怒トロール[27]」を牽制するために含ませる定型文になっていたのだ(どちらにしても、最終的には女王の冠をすべての者に無理強いしようとしていると非難する者が現れるのは避けられなかったけれど、少なくとも定型文はそれを遅らせた)。

◆

知人の男性の多くは、得票数ではクリントンが勝っていたことをわたしが指摘すると、そういう見方ができないのか、わざとしないのか、苛立った。その当時わたしはこう書いた。「客観性に関して男性が特別な専売特許を持っているという深い信念により、やや多すぎる数の男性たちが、自分の主観的な評価にはミソジニーなどない、あるいは自分の評価に主観性や感情などはまったく含まれていないと、わたしに断言した。彼らの評価は「意見」ではないのだから、ほかの意見にも動機などはないのだ、と」。そう言ってから男たちは、クリントンがいかに負け犬かという話題に戻った。それを語る彼らは、かつて彼女が勝利する可能性が官能的かつ深く感情的な嫌悪感を引き起こしたように、これにも官能的な刺激を覚えているようだった。

〔大統領選は〕自由で公正な選挙ではなかったという、注目に値する証拠がある。わたしたちがトランプの勝利に異議を唱え、トランプ大統領を止められたかもしれない証拠だ。しかし、左派の男たちは、クリントンを負け犬にすることに献身するがあまりに、トランプに勝ってもらいたがっていた。それは、彼らが傾倒するほぼすべてのものより深い何かを証明することだったからだ。彼らは、「クリントンは負け犬だから負けたのだ」というトートロジーを主張し、そのほかすべての要因をはねつけた。弱い候補だったのはトランプのほうであり、彼の勝利[*3]のためには、何百万人もの有色人種の選挙権を剝奪せねばならず、投票権法を終わらせ、クリントンが私用Eメールサーバーを使用したという史上もっとも退屈で平穏なスキャンダルを右翼による長期のキャンペーンであたかも壮大な犯罪にさせ、FBI長官のジェームズ・コミーによる明らかな妨害工作という選挙直前の介入が必要だったというのに。コミーの言語道断な策略で判明したのは、一〇人以上の女性から性暴力で訴えられた実際の性的捕食者(プレデター)よりも、疎遠な関係の卑猥な夫を補佐にしている女性候補のほうがダメージは大きいということだった。

ヒラリー・クリントンは、無謀で、不安定で、無知で、無礼で、限りなく下品で、気候変動否定者で、独裁主義の野心を持ち、国の財源を私物化する計画を持つ白人優越主義のミソジニストとわたしたちの間に立つ、唯一の存在だった。だが、多くの人びと、ことに白人男性は、彼女に我慢できなかった。それがトランプ勝利の十分な理由なのだ。僕をクリントンに投票させることに失敗した彼女自身のせいだと男性が力説するのを、わたしは何度も繰り返し耳にした。彼らはこの敗北を自分たちの敗北ではなく彼女の敗北だとみなし、あたかも選挙は彼女への贈り物であり、贈り物を

(27) 攻撃的なコメントでインターネットを荒らす行為のこと。

受け取る価値がなかった彼女や、自分を魅了してくれなかった彼女を責めているのだ。トランプを止めるのに失敗した自分たちや選挙人制度や選挙制度は責めようともせずに。

＊1　近ごろのアメリカの歴史において、とりわけ特異だったのは、二〇一六月一〇月七日という日だ。この日、オバマ政権はプーチン政権がアメリカ合衆国の選挙に干渉していたと公表した。これは社会を根こそぎ揺るがすニュースになるべきだったのに、〔ゴシップテレビ番組〕「アクセスハリウッド」で〔トランプが女性のプッシーを掴むことを自慢している録音が入った〕ビデオテープが公開され、その猥褻なえげつなさがメディアの注意をひき、またたくまに影が薄くなってしまったのだ。そして、このニュースもまた、ウィキリークスが民主党全国委員会のシステムをハッキングして得たEメールを流出させたニュースによって、注目の的の座から押しやられた。もっと入念なメディアがあったら、オバマ政権の警告に立ち戻って、〔民主党全国委員会のEメールをロシアによる選挙介入に〕関係づけて考えられたかもしれないのに。

＊2　それから一年後、ヴァージニア州議会で選挙に勝ったトランスジェンダーの候補ダニカ・ロームはこう語った。「私は、職、道路、学校、ヘルスケア、平等についてしつこいほど何度も話しました。〔同じく民主党のヴァージニア州議員の〕リー・カーターと遊説でしょっちゅう一緒になったので、そういう話をしたことを、ちゃんと覚えています。なのに、あなたたちときたら、私たちが「トランスジェンダー主義（トランスジェンダリズム）を幼稚園で教える」とか「社会主義」だとか、そういったことばかり攻撃したのです」

＊3　もし彼が勝っていたとしたら、だ。わたしはのちに、こう書いた。「フロリダ州、ノースカロライナ州、ペンシルベニア州、ウィスコンシン州などを含む多くの激戦州（スイング・ステート）では、出口調査と実際の開票数との間に桁外れの相違があった。一般的には後者のほうが前者よりも信頼性があるとみなされているが、世界のほかの地域では、出口調査は選挙結果を検証する重要なものとして扱われている。クリントンがこれらの州で勝っていたら、彼女はこの選挙で圧倒的な勝利を収めていたことになる。たぶん彼女は勝っていたのだ。選挙の直後、ボブ・フィトラキスとハーヴィ・ワッサーマンはこう報告した。「二八の州のうち二四の州で、未調整の出口調査でもクリン

トンの得票数は最終的な公式結果よりもはるかに多い。不正操作がなされていない選挙でこのようなことが起こりうる可能性は、事実上、統計的に不可能な領域だ」。彼らの意見が正確かどうか、わたしにはわからない。なぜなら、不正を検証する大がかりな調査はなされなかったし、ジル・スタインが始めたミシガン州、ウィスコンシン州、ペンシルベニア州の票の数え直しは、明らかにパニックを起こした共和党によって止められたからだ」

二〇〇〇万人の失われた語り手たち

Twenty Million Missing Storytellers (2018)

たいていの新しい考え方は余白や影の中で生まれ、そこから中心に移動していく。それは多くの場合、わずかな人が考えたことであり、急進的で流行の最先端にあるか、やや過剰なことだったり、単にほとんどの人が気づかないか、強い思い入れを持たないことだったりする。それが正義についての考え方である場合には、極端なことや非現実的なことだとみなされる。だが、その考え方はあちこちに旅をしつづけ、旅のおわりには誰もがずっとそう考えていたことになっている。というか、自分がずっと考えてきたことだと思いこんでいる。なぜなら、いまでは差別や無知と見なされるようなことに、かつて注意を払わなかったり、まったく違うように考えていたりしたことを、無視するほうが自分にとって都合がいいからだ。新しい考え方は新しい種のようなものだ。それらの種は、進化し、生息地を広げ、周囲の生態系を変えていく。そして、あたかも、そこに常に生息していたかのように溶け込む。あたかも、わたしたちの国がずっと、奴隷所有を非難し、女性に投票権があるのは当然だと信じ、ヘテロセクシャルではない人がヘテロセクシャルと同じ権利を持つ資格があると考えていたかのように。

二〇一七年の秋、わたしたちは暴力や憎しみや差別がいかにして人びとを排除しているのかを、そして、現在のわたしたちが知るストーリーが、いかにしてわたしたちが知ることのなかったいくつものストーリーの亡霊にとりつかれているのかを、あらためて考え始めた。ハーヴィ・ワインスティーンなど、ハリウッドの権力者の男たちによるジェンダーに基づいた暴力が何であったかという分析の主要な部分がそれだった。この点について初期に語ったレベッカ・トレイスターはこう書いた。

〔これらの事件で〕告発されているのは、どの芸術が観客に見られ、評価されるのか、そして――ここが重要なのだが、どの芸術に金が払われるのかの決定を促すのが男たちであるということだ。誰のストーリーが映画化されるのかを決めるのも彼らだ。彼らはまた、政治家についてどんなメッセージを国民に伝えるのかを決め、どの政治家を選挙に出馬させるかを選ぶときにも、とりわけ大きな力を持っている男たちだ。自分たちを排除する軽蔑や虐待のリスクを回避するために、すでにすべてのキャリアを捨て職場を去ってしまった女性たちに、過去に戻って仕事を返してやることはできない。また、時間を遡って彼女たちが製作したであろう映画を観ることも、振興したであろうアートを見ることも、報道したであろうニュースを見ることもできない。

アメリカのメディアで最強の権力を持つ男たちの何人かが、じつはセクシャル・ハラスメントの常習犯だったことが暴露された。〔著名なジャーナリストの〕チャーリー・ローズやマット・ラウアー、マーク・ハルペリンを含むそれらの男たちが、〔大統領選の間に〕ヒラリー・クリントンに関する敵意あるナラティヴを作り上げたことを、トレイスターやジル・フィリポビックを含む多くの人が指摘した。誰が映画を作るのか、誰のストーリーを伝えるのかを決めるのは男だという見解は、政治に関しても同様であることがわかってきた。政治家をどう描くのか、政治家についてのどの部分を強調して語るのか(クリントンのEメール)、何について語らないのか(トランプとマフィアとの関係、数々の嘘や破産、告訴、性暴力)を決めるのも、男たちだった。それが大統領選を形作った。もし構想を練る責任者が別の者だったなら、違う結果になったことが想像できるだろう。

二〇一七年の末には、『ニューヨーカー』誌のリチャード・ブロディが、この捉え方は現状を説明するのに並外れて説得力があると考えた。そこで、ふだんは急進的な政治改革を呼びかけるような場ではないのだが、その年のベスト映画の記事で、この認識を前面に打ち出した。その秋、〔ハリウッドの男性権力者たちの問題についての〕この考え方が、どれほど速く、どれほど遠くまで届いたかを示す出来事だった。ブロディは記事でこう力説した。

今年のベスト映画のリストは、いずれにも欠落がある。それは、実現できなかった作品や演技、その他の創作が、リストから欠けているからだ。実現できなかったのは、努力を積み重ねて監督やプロデューサー、その他の映画業界の重要な役割まで昇りつめた女性たち(一部の男性も含む）が、自分の快楽や利益のために力を濫用する権力者の男性たちによって脅かされ、威嚇され、沈黙させられ、業界から追い出されることでキャリアを阻まれたからだ。

こうした「欠如」について、多くの人が考えるようになった。

だが、アメリカという国のナラティヴに欠けているのは誰なのだろう？　女性監督や黒人の脚本家、主流メディアの中にさほどミソジニストではない有名ジャーナリストが欠けているというだけではない。

投票者だ。

投票は、自分が信じていることや、自分がどんな世界に住みたいのかを伝える、「言葉」の一種である。「声を持つ」というのは文字通り何かを言えるようになることだけではない。自分の役割を持ち、行為の主体性を持つことを意味する。そして、「私は警察の残虐行為を目撃した」であれ、「私はあなたとセックスしたくない」であれ、「これが私の抱く社会のビジョンだ」であれ、影響を与える発言ができることを意味する。

わたしが推定する限りでは、先の大統領選で約二〇〇〇万人が権利を剝奪された。合法的な投票者の信頼性を奪う、有権者ID法と投票者データベースの照合、有権者登録名簿の抹消、投票権法の中心部分を無効にした二〇一三年の最高裁判決、（圧倒的に大多数が民主党支持者である黒人が多く住んでいる地域での）投票所の閉鎖、投票時間の短縮、それらの投票所に現れた有権者へのハラスメント、犯罪歴がある者からの投票権の剝奪など、やり方はさまざまだ。その結果、あまりにも多くの人が投票する権利を否定され、まるで新しいジム・クロウ法になっている。〔何人の投票者が失われてしまったのか明瞭な総数はない。たとえば、有罪判決を受けた六〇〇万人以上のアメリカ人は投票を直接に阻まれているし、その他の者は有権者ID法で投票を妨害されたり嫌がらせを受けたりする。このようにして投票できる者の数が削られる。〕

政治は、わたしたちが信条としているストーリーを伝える手段である。子どもたちの健康と幸福を重視しているかどうか、自分の体に関する女性の自己決定権やすべての生命の平等な権利を重視しているかどうか、幼い時分にこの国に来た「ドリーマー」[28]を守るかどうか、気候変動に対応するかどうか、という信条を伝える手段である。投票は、その唯一の方法というには程遠い。だが、どのストーリーに基づいて行動を取るのかを決める、要(かなめ)の手段である。誰と何を重視しているのかというストーリーを選び、そのストーリーに基づいて、わたしたちが住む世界を編成しなおす。〔選挙でトランプが勝ったことによる〕再編成の例が超富裕層の減税であり、健康保険から子どもたちを締め出すことであり、気候変動枠組条約からの離脱であり、〔国立公園などの〕何百万エーカーもの国有地の保護を取り去ることであり、大学への資金援助をやめることだった。わたしたちは、ポストモダニズムの最盛期であれば「マスター・ナラティヴ〔規範的な物語〕」と呼ばれたであろうものの中で生きている。ゆえに、誰がそのストーリーを伝えているのか、そのナラティヴを司っているのは誰なのか、それらが変わったらどうなるのか、といった疑問は、常に存在する。

この問題についてもっとも優れた書き手である『マザー・ジョーンズ』誌のアリ・バーマンなどのジャーナリストたちが選挙の弾圧の問題について書くと、「先の大統領選ではヒラリー・クリントンが勝つべきだった」と言っているのだと決めつけられてしまうようだ。二〇一六年に投票できた人たちを変えられたのなら、結果はそうなっただろう。だが、このストーリーは、それよりもっと大きなものであり、選挙の結果が潜在的に秘めていることは、もっと抜本的なものなのだ。

共和党は何十年にもわたって、体系的、戦略的に、有色人種の票を握りつぶすことで、国家的な権力の足場を維持してきた。共和党は〔数の上では〕少数派の党である。公平な国政選挙が行なわれたら、白人の不満とミソジニーを現在の基盤にし、最大級の権力を持つ者を好む共和党が勝つことは、けっしてない。だから彼らは不公平な選挙をすることを決意している。州と国レベルで多数党の地位にしがみつくために、多くの州で共和党に有利な選挙区の区割りをする改定をしている。たとえば二〇一二年の選挙では、共和党は得票総数では民主党より少なく少数派だったにもかかわらず、下院の議席で多数党になったのだ。

これら二〇〇〇万の票が握りつぶされていなかったらどうなっていたか、想像してみてほしい。白人の不満党は消滅するか、現在の姿とは似ても似つかぬ党になっていただろう。しかし、民主党も異なる党になっていただろう。若者や、貧しい者や、非白人の声にもっと応え、人権と福祉のセーフティネットの強化や、経済的な正義や気候変動に対するより強い行動を信念とする人がもっと多い民主党を想像してみてほしい。全米の有権者がいまよりずっと急進派になって、総選挙で民主

(28) 幼少時に不法移民の親に連れられて不法入国した者の俗称。市民権を与える道を作るかどうかが政治的な争点になっている。

党が中道右派の有権者を取り合わなくなる国を想像してみてほしい。投票する権利を失わなかった人びとが実際に投票権を持っていたら(ああそれに、もっと多くの若者が投票所にやってきたら)、そうなっていたはずなのだ。変わるのは二〇一六年の選挙の結果のようにちっぽけなことではない。現在とは異なる政党であり、異なる候補であり、異なるニュース報道であり、異なる結果である。ストーリーも変わるだろう。誰がストーリーを伝えるのか、どのようにわたしたちのストーリーが伝わっていくのかも変わる。

わたしたちの国は、しだいに非白人の国になりつつある。非白人の投票者は一般的に、社会的、経済的、環境的な正義に、より深く関わっている。わたしはこの国が、二〇一七年一一月の選挙で八人のトランスジェンダー候補に票を投じ、その直後のアラバマ州の選挙で狂気めいた右翼の共和党のロイ・ムーアに対抗する穏健派の民主党員ダグ・ジョーンズに投票した、寛容な急進派の人がたくさん住んでいる国だと信じている。ジョーンズは〇・二%以下の差で選挙に勝ったのだが、友人によると、黒人投票者の弾圧さえなかったら数%の大差で勝っていたということだ。黒人男性が投票権を得た一八七〇年の憲法修正一五条と、すべての女性が投票権を得た一九二〇年の憲法修正一九条が成立して以来ずっと、あらゆる方法で投票者の弾圧は行なわれてきたが、それがなかったとしたら、ムーアとジョーンズという二人の白人男性のみが有権者の選択肢だっただろうか。そして、アラバマ州は現在のような(レイプ被害者にも中絶を許さない非常に保守的な)状況だっただろうか。

『ティーンヴォーグ』誌のサラ・ムーチャは、「NAACP(全米黒人地位向上協会)の法的弁護人であり教育基金の担当者であるデュエル・ロス弁護士の推定では、アラバマ州の一一万八〇〇〇もの登録有権者が〔二〇一七年一二月一二日の特別〕選挙で投票することができなかった。それは、アラバマ州の法律で投票のために必要な、公式の写真入り身分証明を所持していなかったからだ」と報じた。この数は州全体の有権者の一〇%である。二〇一六年の選挙で非常に多くの合法的有権者が投票する機会を強制的に奪われたウィスコンシン州〔ある調査では、もしウィスコンシン州が二〇一二年までの投票の条件であったなら、二〇一六年の選挙では実際より二〇万人以上多くの人が投票できていたはずだという〕などのように、アラバマ州も有権者の投票が許されないことにより勝敗が変えられてしまったのだ。アラバマ州の黒人たちが、この障壁を克服して投票するために勇敢に闘ったことは広く知られているが、そんなことをしなくてもいいはずなのだ。

たいていは州のレベルだが、草の根グループや市民権運動機関によって良い成果も上がっている。しかし、〔投票者弾圧の問題は〕もっと可視化されるべきであり、もっと情熱的に語られるべきであり、もっとわたしたちの想像の中で存在感をもっているべきだ。票を投じることを妨げられている人たちに再び選挙権を与えるのは、現在のわたしたちが持つ非常に大きな課題のひとつである。それは深刻な不正行為を正すことなので、道徳的立場からなさねばならない。また、これらの有権者は、いたるところにおいて正義と平等と多様性の受け入れの美しい夢を抱いている人たちであり、アメリカ合衆国がどんな国であり、どんな国になりうるのか、どんな国になるべきなのかについて、異なるストーリーを書いていく人たちだからだ。誰と何が重要なのか、これまでとは異なるストーリーを。

最初にわずかな角度の軌道修正をするだけでも、数マイル歩いたときにはまったく異なる場所に行き着いている。ましてや、一〇年、あるいは一世紀半ならどうだろう。市民が投票権を剝奪されたことにより、わたしたちの国は着実に右よりに押され、これまでかつてなかったところまで来てしまった。その途中で多くの命が踏み潰され、発言が抑圧され、戦争が勃発し、気候変動の喫緊の危機が否定され、無視されてきた。それらを元に戻すことはできない。すでにストーリーは語られ、その道は歩まれてしまった。しかし、軌道修正はできる。まずは、何百万人もの失われた票が重要だというストーリーを伝えることだ。そして、それらの投票者が政治に参加できるよう投票権を取り戻す働きかけをすることで、軌道修正を始めることができるのだ。

Ⅱ　アメリカに渦巻いている感情

American Emotion

孤立のイデオロギー

The Ideology of Isolation (2016)

現代の右翼のイデオロギーの奇妙なスープを固形ブイヨンにまで煮詰めると、ものごとはほかのものごとにつながっておらず、人もほかの人につながっておらず、すべてはつながっていないほうがよいのだという思想が見つかる。彼らの核になっている価値観（コアヴァリュー）は、個人の自由と自己責任だ。つまり、自分はひとりきりであり、自分がやりたいことは自分でやる、というものだ。ありとあらゆる不合理な考え方は、この「輝かしい断絶」から生まれる。この世界観に従えば、真実でさえ、セルフ・メイド・マンが自分に都合が良いように創作してもかまわない独立したものだという結論に達する。

これが、わたしたちがいまだに保守と呼んでいる、現代のイデオロギーである。実際には、初期の保守派の思想家たちによる、よりマイルドな命題を反転させた、頭がおかしいタイプのリバタリアリズムなのだが。マーガレット・サッチャーは一九八七年の雑誌の取材で「社会などというものは存在しない」と言った。この有名な部分ほど引用されてはいないのだが、そのときサッチャーはこのようにも語った。「男性と女性と人びとによる、生きたタペストリーがあって、そのタペストリーの美と我々のクオリティ・オブ・ライフは、それぞれの人がどれだけ自分に責任をもつことができ、自分を立て直して恵まれない人びとを助ける努力をする心づもりがあるかどうかにかかっているのです」

この『ウーマンズ・オウン』誌の取材の最初から最後まで、サッチャーは「我々はみな、政府が干渉しすぎると破れてしまうかもしれない繊細なタペストリーでつながっている」という旧式の保守主義と、「『私は問題を抱えている。それをなんとかするのは政府の役割だ』と思い込んでいる人びとや子どもが多すぎる」という新しいバージョンの保守主義の間を行ったり来たりしていた。それからの数十年来のある時点で、「政府の補助は社会的つながりにとってかわるべきものではない」という考え方から、「他人や他人の問題がどうなろうと知ったことか」という考え方へ、決定的な変化が起こった。カウボーイが子牛に向かって「これはおまえの不運だ。俺のじゃない」と歌う有名なバラードがあるが[29]、そんな感じだ。

カウボーイは、アメリカの孤立のイデオロギーの権化であり、自立した個人の原型である。だが、現代の右翼の銃に対する執着心と同様に、実際のアメリカの歴史というより、冷戦時代に流行ったウエスタン映画が想像で作った歴史に基づいたものだ。アメリカの西部は、先住民の土地をアメリカ政府が移住者に与えたものであり、アメリカ軍が移住者のために障害となるものを取り除き、政

(29) カウボーイの古曲として知られる「ギット・アロング、リトル・ドギーズ(Git Along, Little Dogies)」。

府の助成を受けた鉄道や水道事業その他の巨大な企業が東奔西走した場所だ。『シェーン』や、『真昼の決闘』の保安官や、セルジオ・レオーネによるマカロニ・ウエスタンの『名無しの男』三部作には、こうした国家や企業のしたことはみな、ほとんど関係がない。でも、そんなことは気にしなくていい。夕日を背にしたカウボーイのシルエットは、それがロナルド・レーガンであろうとマルボロマン[30]であろうと、とてもカッコよく見えるのだから。一匹狼は誰からも受け取らず、与えることもなく、世の中を軽蔑し、頼るのは自分だけなのだ。

「俺は俺でやる」。この考え方からすれば、女は互いに影響を受けあいすぎる。闘うか逃げるかの二者選択ではなく集まって同盟関係を結ぶ傾向があるし、人間関係の境界線も流動的だ。実際、ときおり矛盾しているとみなされる現代の右翼の政策――ほかのすべての規制を解除しながらも、とりわけ女性の生殖の権利やセクシュアリティ全般を規制したがる欲求――は、女を人とみなす場合のみ、矛盾をきたす。女を人として識別されていない自然の一部とみなすなら、女の身体は男が訪問するすべての権利を持つ場所のひとつにすぎない。

アメリカ合衆国最高裁判所判事のクラレンス・トーマスが、就任後一〇年の沈黙を破って口頭弁論で初めて質問したのは、二〇一六年二月末のことだった。トーマスは、ドメスティック・バイオレンスで軽犯罪の有罪判決を受けた者が銃を所持するのを禁止するのは、憲法で保障された権利に違反するものではないかという点に、非常に強い関心を示した。この個人が銃を持つ憲法上の権利があるというのは、〔亡くなった最高裁判所判事の〕アントニン・スカリアによる憲法修正第二条の極端に修正主義者的な解釈の結果であり、悪者からの防衛に非常に有用だというカウボーイ精神に支えられていて、人が銃弾を放つ権利は人が銃弾を受けない権利に勝るというのだ。だが、この国で銃を使って「悪者」から身を守るのに成功している人はほとんどいないというのが事実だ。アメリカでの銃による死亡者の三分の二近くを占める自殺を、特異なタイプの悲しい自己防衛とみなすなら別だが――。孤立のイデオロギーは、こういった事実には興味がない。また、親密なパートナーから殺されたアメリカの女性の大部分が銃で殺害されたという事実にも、興味がない。

わたしが話していたのは、カウボーイのことだった。ジェーン・トンプキンズは著作『すべての西側(*West of Everything*)』で、西部の人間がいかに言葉より実行、つまり話し好きの女らしさよりも無口なバージョンの男らしさを重んじているのかを説明し、次のように結論づけた。「喋らないということは、感情をコントロールしているだけでなく、他人との境界線も自分がコントロールしていることを明示している。男性は……彼と世界とを隔てる境界線の完全性を維持するのだ(西部劇では、ひとりの男が別の男の身体に穴を開けるとき、究極のコントロールの喪失が起こるというのが、まさにぴったりである)」。貫通される恐怖と貫通不可能な孤立の幻想は、ホモフォビア(同性愛嫌悪)や「国境閉鎖」を求める外国人嫌悪症マニアの核である。別の言葉に言い換えると、孤立は良いことである、自由とは断絶である、そして(とくにアメリカとメキシコの国境に)良い壁があると良い隣人関係ができる、ということだ。

〔二〇一二年大統領選の共和党指名候補者であった〕ミット・ロムニーとドナルド・トランプのどちら

---

(30) マルボロたばこのCM俳優。カウボーイ姿を特徴とし、莫大な広告効果をもたらした。

も、自分がセルフ・メイド・マンであり、自由市場の大平原で一匹狼のカウボーイだと売り込んだ。だが、実際にはどちらも生まれつき金持ちだ。裕福な政治資金提供者を対象にしたロムニーの講演を秘密裏に録画した映像が二〇一二年に流出したことがあるが、その映像でロムニーは「政府に頼りきり、自分のことを犠牲者だと信じ、政府には自分の世話をする責任があると信じ、医療、食料、住居、ありとあらゆるものを受け取る資格があると信じている人びと」を非難した。

税金はそれぞれが集合財に寄与するものであり、市民のつながりを象徴している。この特殊な形の共有利益は少なくともロナルド・レーガンの時代から抑圧の一種に仕立てられてきた。最初の就任演説でレーガンは「成功の業績を罰する税制だ」と嘆いた。実際には税収入は保守が好きなもの(とくにほかのすべてと比較して膨大な軍事費)や国民全員が必要なもの(とくに道路や橋)に使われるのだが、そうしたものよりも、自立という保守の思想に背く怠け者や福祉女王(ウェルフェア・クイーン)に費やされるという裏付けのない主張が、税金に対する右翼の憎悪を広めるのに貢献した。

二〇一六年にホームレスの男性ルイス・ゴンゴラがサンフランシスコで警官に殺されたことについてのインターネットのディスカッションで、わたしはこの「依存に対する憎悪」に出くわした。射撃の目撃者が始めたフォーラムに極めて礼儀正しいメッセージが一〇〇以上掲載されたところで、ある人が「自分や家族の面倒をみることができず、私たちのように納税している市民に世話をしてもらっているホームレスの人間に自由があると思っているおまえたちにはウンザリだ。自分の世話ができなくなって、それを他人に負担してもらうことを期待したら、その時点で自由も失うんだ。目を覚ませ」と批判を爆発させた。同じ人はあとでさらに「おまえたちは借金したことがあるか?

そうなら自由も失ったことになる。おまえは誰かに借りがある。それが個人的責任というものだ」と付け加えた。

この意見を書いた人を含めて、フォーラムにコメントしたほぼ全員が、家かアパートを借りているか、持ち家であっても銀行からローンを借りているはずだ。つまり、テント暮らしをしているホームレスよりも「借りがある」ことになる。アメリカのどの都市であっても、住宅に住んでいたら水道や下水、それらの公共サービスを管理する組織、交通信号、交通規則、建築基準といった、税金で賄われる数々の公共サービスの恩恵を受けている。だが、共同体からもたらされているものを忘れられる人は、誰にも借りはないし、独力で生きていると思えるのだろう。

この人物の長広舌は、聞き慣れた論点でなければ、ただの支離滅裂なコメントになっていただろう。自由は富が与えてくれる贅沢品であり、富は働くことで得られるものであり、働かない者には自由を得る資格がない。働けない理由があっても知ったことではない。それが現代保守のレトリックなのだ(だが、裕福で働かない者はこの分析から免除されている)。自由と独立が理想であるならば、依存はただ軽蔑されるだけでなく、激しく嫌悪されるべきものなのだ。自由企業体制への讃歌としての小説『肩をすくめるアトラス』で、作者のアイン・ランドは依存する者を、「寄生虫」、「盗掘者」と呼んだ。ランドの賛美者である共和党の下院議員ポール・ライアンは、「セーフティネットを、健全な人間を依存と自己満足で楽に生きるようあやしつけるハンモックに変えたくはない」と言った。

現在の右翼はすべての者が完全に自分だけの島であることを望んでいるかもしれないが[31]、完全に自立している人などはいない。空気を肺に吸い込まなければ、生存はできない。自分で自分を産んで育てたわけでもないし、自分を埋葬することも不可能だ。生まれてから死ぬまでの間にも、生きるために必要な物やサービスのほとんどは自分では作ることができない。わたしたちの腸は微生物だらけであり、それらがなければ食べた植物や動物を消化することができない。他人が育てたであろう動植物を、人は生き延びるために貪り食う。わたしたちは複雑な器官の節であり、巨大な集合脳に信号を送るシナプスなのである。良くも悪くも、わたしたちは運命共同体なのだ。

そして、もちろん社会というものは存在し、あなたはその中にいる。それを超えた外にも、下にも、上にも、周囲にも、内部にも、わたしたち自身にも、生態系というものが存在し、その生態系の中にわたしたちの社会が存在する。その中ではしばしば衝突が起こる。生態系的な思考は、すべてのものの相互依存性と相互関連性を明確にする。たとえば、ユッカのある特定の種は受粉のために特定の蛾に頼り、蛾の幼虫は生まれて最初に食べるユッカの種に頼るのだが、そういった例では生態系は共生の美しい夢になり得る。だが、有毒なポリ塩化ビフェニルが北極圏にまで到達し、そこで母乳や食物連鎖のトップにいるホッキョクグマのような肉食動物の体内で濃縮されるとき、生態系は悪夢にもなりうる。〔自然保護の父と呼ばれる〕ジョン・ミューアは、一八六九年にヨセミテを歩き回っているときにこう言った。「何であれ、ひとつだけを引き抜こうとすると、それが宇宙のほかのすべてにつながっていることを知ることになる」[*1]

この伝統的な世界観は神秘的またはスピリチュアルなものとみなされるかもしれないが、わたしたちが現在「生物圏」と呼んでいる範囲の自然のシステムを正確に説明していることを、現代科学が証明している。イエローストーン〔国立公園〕でオオカミをすべて殺してしまうと、ヘラジカの個体数が爆発的に増加し、ほかの多くの動植物種が被害を受けることになる。DDTを農作物にふりかけると、意図したとおりに害虫を駆除することはできるが、一九六二年に〔著書『沈黙の春』によって〕レイチェル・カーソンがわたしたちに教えてくれたように、害虫やげっ歯類の数が増えるのを食い止めている鳥も殺してしまうことになる。

こういったことのすべてが、孤立のイデオロギーにとってはやっかいな問題になる。個人の自由を――他人のニーズに邪魔されない自由を、最大限にする権利を妨げるからだ。だからこそ、現代の保守派は生態系の相互関連性の現実を断固として否定する。そして、環境に何かを加えたり、ある要素を取り除いたりしたら、全体を変えてしまうことになり、そのためにあとで痛い目にあうかもしれないことを認めようとしない。農薬や石油プラットフォームを擁護するいつもの議論は、それらが広範囲にわたる生態系の一部ではなく、独立した要素だというものだ。そればかりか、最近ではときおりこの広範囲にわたる生態系が存在すらしないという議論も出てくるようになっている。

個人主義の愚行を何よりもっとも明確に示している、というか、何よりもはっきりと体系的な対応を必要としているのが、気候変動である。孤立のイデオロギー信奉者に二重に挑戦するのがこの事実だ。生産と消費の制限、規制、企業と政府の協働、国際協力の必要性があるために、それに苛立つ孤立のイデオロギー信奉者は、気候変動に対して提案された解決策を拒否する。二〇一一年、

(31)「誰も孤立した島ではない」というジョン・ダンの詩をもじっている。

ナオミ・クラインはリバタリアンのシンクタンクであるハートランド研究所での会議に出席したあと、気候変動に関するいかなることにも保守派が猛烈に反対する理由について画期的なエッセイを書いた。その中でクラインは、コンペティティヴ・エンタープライズ研究所から来た男性が「この課題が必要とする対策を自国でやる自由社会などありませんよ。……その第一歩は、実現の邪魔になるやっかいな自由を取り除くことなんですから」と言い放ったことを記した。また、クラインは「何よりも、私は四列目に座っていた郡政委員の次の意見の異なるバージョンを何度も耳にすることになりました。それは、「気候変動は、資本主義を廃止してなんらかのエコ社会主義にとってかえるためにデザインされたトロイの木馬だ」というものです」と報じた。

孤立主義者にとっては、より根本的なレベルで、気候変動の概念そのものが不快なものなのだ。なぜなら、すべてはつながっていて、孤独に存在できるものは何もないということを、これほど力強く緊急性を持って伝えるものは、ほかにはないからだ。自動車の排気口から出てくる排気ガスであれ、煙突から出てくる煙であれ、水圧破砕法(フラッキング)[32]の現場から漏れ出すガスであれ、すべてが大気の成分の変化をもたらす。二酸化炭素やほかの温室効果ガスの量が増加することで、地球は太陽からの熱をより多く保持するようになる。それは、わたしたちがかつて「地球温暖化」と呼んでいた変化をもたらすだけではなく、「気候カオス」につながる。

気候変動を否定するのがますます難しくなるにつれ、孤立のイデオロギー信奉者はそのかわりに問題に対するわたしたちの責任を否定し、わたしたちがそれに対して力を合わせて行動できる可能性を否定する。〔共和党の政治家である〕ポール・ライアンは数年前、「気候変動は誰が何をしようと起こるものだ」と責任がわたしたちにあることを否定し、「問題は、それについて連邦政府に何ができ、何をすべきかということだ。税金や規制のことを考えると、連邦政府がするのは不可能であると私は主張する」と言った。もちろん可能なのだが、ライアンはやらないほうを好む。だからこそ、彼は人的影響が原因のひとつであることを否定し、対処としての人的解決策も否定するのだ。

　孤立のイデオロギーを前進させつづけているのは極端さである。社会や生態系を否定することから始めたら、最終的には事実の実在を否定することになる。煎じ詰めると、事実というのは、証拠、真実、文法、言葉の意味といったものに規制された言語、物理的実体、記録の間にある系統的な関係のネットワークの一部なのだから。原因と結果、証拠と結論の関係を否定するのは（あるいは、それらが自分の好みにしたがって生産したり、消費したりできる自由市場の製品だと想像するのは）、「意味」の規制を撤廃することになる。

　絶対的な自由は、自分の好きなように真実を作れることだ。そして、孤立主義者は自由市場の原理主義を継続させるという真実を好む。ブッシュ時代の勝利主義の熱狂の最中に、ある匿名の上級顧問（たぶんカール・ローヴであろう）が、〔歴史ノンフィクション作家の〕ロン・サスキンドに「我々は今、帝国である。我々が行動するとき、我々は現実を作るのだ」と語った。この世界観では、現実は製品であり、市場や軍のルールに支配される。市場や帝国を支配する立場になれば、自分の現実はほかの者の意見を押しのけることができる。「自由」とは、自分の選択肢を制限するものが何

（32）　地下の岩石層に高圧の液体を注入して亀裂を生じさせる方法。シェールガスの採掘などに用いられる。

もなくなることの言い換えにすぎない。かくして孤立のイデオロギーは、完璧な断絶から生まれた自信を持ってして、地球とそこに住むほとんどの生物を殺そうとするニヒリズムになる。

＊1 ミューアがヨセミテでそのひらめきを得たとき、彼はアメリカ先住民がこの景観において重要な存在であることを認めなかった。一九九四年の拙著『野蛮な夢（*Savage Dreams*）』では、その気にかかる抹消が中心のテーマになっている。

無邪気な冷笑家たち

Naïve Cynicism (2016)

一九一六年四月二四日——復活祭の月曜日——アイルランドの共和主義者が、アイルランド内のダブリン市といくつかの都市で、イギリスの占領に対して武装蜂起した。当時の大英帝国は世界最強の権勢を誇り、アイルランドはその至近距離にあるもっとも古い植民地だった。ちっぽけな植民地が巨大な帝国を倒そうというのは無謀すぎるように思えるし、実際、ほぼすべての点で蜂起は失敗だった。指導者たちは処刑され、大英帝国の占領はつづいた。しかし、その占領は長くはつづかなかった。アイルランドの大部分は一九三七年に独立し、現在では、「イースター蜂起（復活祭蜂起）」はそれに至る非常に重要な一歩だったと広く理解されている。一〇〇年経ったいまでは、一九一六年の蜂起は大英帝国終焉の始まりだったと見る者もいる。

「アラブの春」もまた失敗だったという見方が主流だ。というのも、民主化運動が起こった国々は、以前とは異なるかたちで悲惨な状況になっているからだ。だが、市民が政治参加を目的とした情熱的な希求を公の場で表明すること、大衆の力の強さと独裁政権の弱さが証明されたこと、そして（短期間しかつづかなかったにしても）二〇一一年に純粋な高揚が生じたことは、まだ芽が出ていないにしても、〔将来に花を咲かせる〕種をまいたということかもしれない。

　現在の北アフリカや中東を悩ませている暴力や社会の不安定を見過ごすよう説くつもりはない。また、これらの地域の近未来に楽観的なわけでもない。わたしにはアラブの春の長期的な影響がどうなるかはわからないが、わかる者など誰もいないはずだ。わたしたちは、ニュースメディアなどの社会通念の提供者たちが、過去より未来を報告したがる時代に生きている。彼らは世論調査をし、つづいてどうなるかを報じるために誤った分析をする。黒人の大統領候補が選挙に勝つのは不可能だとか、あれやこれやの原油パイプラインが建設されるのは避けられないと報じ、何度も間違ってきたにもかかわらず、予言する癖をやめようとしない。また、わたしたちのほうも、そうした予言を甘んじて受け入れている。彼らがもっとも報じたくないのは、「実際にはわからない」ということだ。

　評論家以外の人びともまた、粗悪なデータを使ってそれより劣悪な分析を行ない、非常に強い確信を持って、過去の失敗、現在の不可能性、そして未来の必然性を宣告する。こういった発言の背後にあるマインドセットを、わたしは「無邪気な冷笑」と呼ぶ。その冷笑は、人が可能性を信じる感覚や、もしかすると責任感までも萎えさせてしまう。

　冷笑は、何よりもまず自分をアピールするスタイルの一種だ。冷笑家は、自分が愚かではないことと、騙されにくいことを、何よりも誇りにしている。しかしながら、わたしが遭遇する冷笑家たちは、愚かで、騙されやすいことが多い。世を儚んだ経験そのものを誇る姿勢には、たいていあまりにも無邪気で、実質より形式、分析より態度が優位にあることが表われている。

その姿勢には、過剰な単純化の傾向も表われているかもしれない。ものごとを本質的な要素まで削ぎ落とすことが単純化だとしたら、過剰な単純化とは本質的要素まで捨て去ることである。それは、だいたいにおいて確実さと明瞭さなど存在しえない世界で、その両方を容赦なく追求することであり、ニュアンスや複雑さを明確な二元論に押し込もうとする衝動である。わたしが「無邪気な冷笑」を懸念するのは、それが過去と未来を平坦にしてしまうからであり、社会活動への参加や、公の場で対話する意欲、そして、白と黒の間にある灰色の識別、曖昧さと両面性、不確実さ、未知、ことをなす好機についての知的な会話をする意欲すら減少させてしまうからだ。そのかわりに、人は会話を戦争のように操作するようになり、そのときに多くの人が手を伸ばすのが、妥協の余地のない確信という重砲だ。

無邪気な冷笑家は、可能性を撃ち落とす。それぞれのシチュエーションでの複雑な全体像を探る可能性を含めて。彼らは自分よりも冷笑的ではない者に狙いをつける。そうすれば、冷笑が防御姿勢になり、異論を避ける手段になるからだ。彼らは残忍さを駆使して新兵を募る。純粋さや完璧さを目標とするのであれば、それを達成できるものは必然的に皆無なので、ほぼしくじりようがないシステムだと言えるだろう。いや、完璧を期待するというのは、無邪気なのである。到達不可能な評価基準を使って価値を認めないのは、さらに単純に無邪気ということだ。冷笑家は、失望した理想主義者だったり、非現実的な評価基準の支持者だったりすることが多い。彼らは勝利に居心地の悪さを感じる。なぜなら、勝利というのは、ほぼいつも一時的なものであり、未完であり、妥協されたものだからだ。それに、希望を受け入れることは危険だからだ。戦争においては防衛が最優先である。無邪気な冷笑は、絶対主義だ。この主義の信者は、あることに遺憾の意を表明しない者は、その全面的な支持者だとみなす。しかし、少しでも完璧さに欠けていると、道徳的に恥ずべきだと非難するのは、場所や制度やコミュニティに関わりあうよりも、自己の誇大化の追求を最優先しているということなのだ。

異なる党派により、異なるバージョンの無邪気な冷笑が存在する。たとえば、政治の主流派は、通常の権力の回廊の外部で起こる政治活動を軽視する。数年前にオキュパイ・ウォール・ストリート運動が始まったとき、人びとは嘲笑い、とりあおうとせず、積極的に誤解し、早々に終焉を宣言した。その後、運動の追悼記事が何年にもわたって何十も書かれた。ホームレスと〔ウォール街やそれが象徴する社会的システムに〕憤る人びととの境界線をあやふやにした暴徒は政治的な役割を担わないでいてほしいと願う人びとが、それらの記事を書いたのだった。

だが、オキュパイ運動がもたらした成果は数えきれない。地方での野営に関わった人たちから聞いた話では、ここから発生した運動の数々は現在でも引きつづき社会に変化をもたらしている。カリフォルニア州だけでも一四〇以上のオキュパイ運動のグループがあり、それぞれが達成したことははかりしれない。その成果には、ホームレスのアドボカシー（代弁・支援）という直接的なものから、住宅、医療や学費の負債、経済的な不公平、不平等についての国民的議論という間接的なものまで幅広い。また、連邦政府の学生ローンの返金を拒否する「負債ストライキ」から州の法律まで、これらの問題に対する有効で実質的な活動も起こった。オキュパイ運動は、バーニー・サンダース、ビル・デブラシオ、エリザベス・ウォーレンといった政治家も主流に押し上げた。

オキュパイ運動の達成を具体的に評価することができないのは、明快で定量化できる結果を即座にもたらさない歴史的な出来事には意味がないという思い込みがあるせいだと、ある程度、仮定できるだろう。まるで、ボールがレーンに並んでいるピンを倒すか倒さないか、という、ボウリングの話をしているみたいだ。だが、歴史的なパワーは、ボウリングのボールではない。もしこの暗喩を使うとしたならば、ボウリングは、何十年にもわたって少しずつ展開していく霧に包まれたある種の形而上学的ゲームということになる。ボールがピンをひとつ倒してから次のピンが倒れるまで一五年かかるかもしれないし、ほとんどの者がゲームの存在など覚えていないころになって、隣のレーンでストライクになるかもしれない。そのピンから子どもや精神的後継者が次々に生まれ、わたしたちには見えない場所で、わたしたちが予想できる範囲を超えて広まっていくだろう。アイルランドのイースター蜂起がなしたのはそういうことであり、現在、オキュパイ運動や、ブラック・ライヴズ・マター[33]がやっていることなのだ。

主流派である無邪気な冷笑家と同じように、社会の底辺にいる人たちや左派よりの人たちも、自分たちに社会を変える力があることを疑っている。それは、変化に必要なハードワークをしない言い訳ができる、都合の良い見解だ。最近のことだが、わたしは『ネイチャー・クライメート・チェンジ』誌からの一節をソーシャルメディアでシェアした。科学者のグループが今後一万年間にわた

---

(33) 警察官による黒人の殺人事件が相次いでいることに抵抗して、黒人の命も大切だと主張する運動。

って気候変動が与える影響の概要を説明したものだ。彼らが描きだした姿は恐ろしいものだったが、絶望的ではなかった。「この長期的な見解によると、来たる一〇年間は、これまでの人類の文明の歴史より長くつづくであろう、大規模で壊滅的になりかねない気候変動を、最小限に収めるチャンスが残された僅かな期間だ」と。これは破滅的状況を語る一文だが、可能性を語るものでもある。それに対して、わたしが最初に受け取ったコメントは、「我々が既に行なったこと／行なっていないことの影響は、何をやっても止めることなんかできない」というものだった。これは言い換えるなら、「専門家が査読した科学論説に対して、自分はちょっとした思いつきの自説で反論しています。自分は論文なんか注意深く読んでいません。自分が全知全能だという誤った自覚をもとに、ビシバシ叩いています」ということだ。こういったコメントは、大幅に異なる刺激のいずれにも対応できる反射反応を象徴している。ポジティヴだったり、ネガティヴだったり、それが混じったものだったり、多くはまだ結果が出ていない多様な出来事に直面しても、無邪気な冷笑は頑なに冷淡でいられる。

気候変動に関する運動は次第に力を持つようになり、多様化もしている。北米では、炭鉱を閉鎖させ、新たな炭鉱の開発も防いでいる。そして、シェールガスの水圧破砕法（フラッキング）、国有地での天然ガスや石油の漏出、北極圏での資源採掘、パイプラインを阻止し、阻止したパイプラインの代用である石油の鉄道輸送も阻止した。アメリカの四七の都市と町、そしてハワイ州は、将来一〇〇％を再生可能エネルギーにすることを誓い、五つの都市ではすでに目標を達成している。

全米規模でも、国有地での新たな化石燃料採掘を禁じるめざましい法案が、連邦議会の上院と下院の両方で提出されている。これらの法案が現在の議会で可決される可能性はほぼないが、数年前には想像も及ばなかった見解を主流に取り入れさせた。直接の目標達成には失敗しても、その努力が対話の内容を変え、今後のアクションのために風穴を開ける。画期的な変化はこのようにして始まるのだ。これらのキャンペーンや達成は、十分というには程遠く、規模を拡大しなければならない。規模の拡大とは、真に捉えるべき機会だと認める人びとを引き込むことだ。

二〇一五年の暮れ、北極海での石油採掘を縮小し、タールサンド[34]のパイプライン建設を阻むいくつかの主要な政府の決断が発表された。無邪気な冷笑家たちは、それが単に原油価格下落の結果だとして片付けた。社会運動などまったく関係ないと何度も言われた。だが、もし運動がなかったなら、北極海は採掘され、安くて汚い原油をアルバータから送り出すパイプラインは、原油価格が下落する前に建設されていただろう。原因は原油価格か社会活動の「どちらか」ではない。「どちらも」なのだ。

『ヴォックス』誌の気候変動ジャーナリストであるデイヴィッド・ロバーツは次のことを指摘した。キーストーンXLパイプライン建設停止を求めるキャンペーンへの批判者は、反対運動をしている活動家たちの唯一の目標がこのひとつのパイプライン建設を止めることだと思い込んでおり、このパイプラインひとつの建設を中止しても世界を救えるわけではないので、努力は無駄だと考えている。ロバーツは、こういった気候変動対策運動の「安楽椅子のクォーターバック[35]」たちを「や

(34) 主成分がアスファルトの砂質岩。

り方が間違っているぞ指摘部隊」と名付けた。ロバーツは、こういった人たちの批評を、こうなぞらえた。「たった数人の黒人にしか影響がなかったからという理由でモンゴメリー・バス・ボイコット事件[36]を批判するようなものだ。公民権運動の核心は差別的なシステムから黒人をひとりひとり解放することではなかった。文化そのものを変えることだったのだ」

キーストーンの闘いは、タールサンドとパイプライン政策についての考え方を変える教育であり、広い意味で気候変動問題の教育でもあった。このキャンペーンの成功面は、人びとを目覚めさせ、〔パイプラインが建設された場合に起こることの〕恐ろしい危機を考えさせ、関与させたことだ。この闘いは文化を変えた。

同様に、原油の輸出を許可する二〇一五年一二月の議会の決定は、広く非難された。原油輸出そのものは、まったくもって悪いことだった。しかし、多くのコメンテーターらは、それが太陽光発電と風力発電の税額控除を延長するための交換条件の一部であるという事実を無視した。この件について綿密に調査した外交問題評議会のマイケル・リヴァイやヴァラム・シヴァラムなどは、この〔税額控除〕延長について、「それによって今後五年間で減少する二酸化炭素排出量は、〔原油〕輸出禁止を解除することによって増える二酸化炭素排出量よりも、はるかに大きい」と考えていた。

変化や不確実性に対応するには、よりゆるやかな自己の認識や、さまざまな方法で対応する能力が必要だ。ある立ち位置にとらわれている人たちが、一定の条件を満たした成功に動揺するのは、たぶんこのためだ。失敗のほうに目を向けるのは、防衛策なのだ。つまるところ、地球上の生命がもたらす、常に不完全で、しばしば重要な勝利に、成功の規模に関係なくものごとを十把一絡げにして背を向けるための技術なのだ。腐敗が均等に分散され、偏在している場合には、それに適した対応策などはない。つまり、対応の必要はないということになる。これはあまりにもよくある態度なので、ビル・マッキベンはエクソン[37]が一九七〇年代の早い段階で気候変動についてすでに知っていたことを初めて書いたとき、先制攻撃をしかけた。「〔気候変動の〕観察者、とくに長年専門的に左派をやってきた古株は、この話を古いニュースとして扱った。私たちが知らなかったことなのに、まるで以前からわかっていたかのように。ある人は私に、「もちろん、彼らは嘘をついたんだよ」と言った。この冷笑は、エクソンにとってもっとも効果的な隠れ蓑として役立った」

それにもかかわらず、わたしはエクソンのニュースに対して多くの人が「いやしかし、すべての企業は嘘をつくものだよ」と気軽に言うのを耳にした。けれども、この発覚はほんとうにニュースだったのだ。ほかの企業がこれまでやってきた汚職や不正な行ないとは規模が異なるものだった。この規模の違いを理解するのは重要だ。「どうせすべて腐敗している」という素っ気ない論理的発言は、非難を浴びせるふりをしているだけで、結果的には許してしまうことなのだ。

企業が損切りするときには、その代償を払う。わたしたちが企業を本質的に腐敗したものとして

(35) お茶の間に座ってスポーツを見ながらベテランアスリートのような批判をする人。
(36) 一九五五年、白人に席を譲ることを拒否してローザ・パークスが逮捕されたことから広まった、黒人たちによるバスの利用拒否。公民権運動の契機となった。
(37) 総合エネルギー企業。現在のエクソンモービル。

損切りするときにも、わたしたちはその代償を払うことになる。それは、無抵抗と敗北への道を開くことなのだ。エクソンを暴露した『ロサンゼルス・タイムズ』紙と『インサイド・クライメート・ニュース』の、冷笑的ではない優れたジャーナリストたちは、活動家と一緒になってこの問題を推し進め、その結果、ニューヨーク州とカリフォルニア州の司法長官が調査を開始した。これは、デイヴィッド・ロバーツの言葉を借りると、「文化を変える」対応の機会である。化石燃料事業売却の運動で使われている戦術も非常に過小評価されてきたが、エクソンの暴露はそれと同じように、過小評価されながらも広範囲にわたる結果をもたらす方法で大きな権力を失墜させたのである。

無邪気な冷笑の代わりになるものは何だろうか？ 起こったことに対して積極的な対応をすることであり、何が起こるのか前もって知ることはできないと認識することだ。そして、何が起こるにせよ、かなりの時間がかかるし、結果も良いことと悪いことが混じっていると受け入れることである。このような態度が正しいことは、歴史的な記憶、間接的な影響、予期せぬ大変革や勝利、累積的な効果、そして長い時間軸が、裏づけてくれている。

無邪気な冷笑家は、世界よりも冷笑そのものを愛している。世界を守る代わりに、自分を守っているのだ。わたしは、世界をもっと愛している人びとに興味がある。そして、その日ごとに話題ごとに異なる、そうした人たちの語りに興味がある。なぜなら、わたしたちがすることは、わたしたちができると信じることから始まるからだ。それは、複雑さに関心を寄せ、可能性を受け入れることから始まるのだ。

憤怒に向き合う

Facing the Furies（2017）

一九七九年、ケニー・ロジャーズの「弱虫トミー（Coward of the County 郡の臆病者）」という耳に残りやすい歌が、カントリー・ミュージックのヒットチャートの一位になった。これはトミーという男の物語なのだが、投獄されている彼の父親が息子に自分のようにならないように、こう懇願する。

Promise me, son, not to do the things I've done
息子よ、約束してくれ、俺と同じことをやらないと
Walk away from trouble if you can
できることなら、やっかいごとから立ち去れ
Now, it won't mean you're weak if you turn the other cheek
いいかい、別の頬を差し出すのは弱虫ということではないんだよ(38)

これはモダン・カントリー・ミュージックの初期の曲なので、息子が父親を尊重するのは当然とみなされている。トミーは恋人が集団レイプされたときに父のいいつけに従うのを挫折してしまうのだが、このように一方では「目には目を」という旧約聖書のエートスにも忠実だ。かつて臆病者だったトミーはレイプした男たちを殴り倒した。トミーの評価は彼の「男らしさ」と区別がつかないものであり、彼の評価を挽回できるのは暴力だけなのだ。この物語の争点になっているのは、〔被害を受けた〕恋人が償いを得ることではなく、トミーの「男らしさ」なのである。別の頬を差し出すのは、しょせんは弱虫だというわけだ。

「弱虫トミー」は、自我と男の精力を肯定するものとしての憤怒を称賛している。この歌は、「正しい答えは暴力ではないのか？」と問いかける。この歌が発売されてから九年後、大統領選挙のキャンペーンのさなかに民主党指名候補のマイケル・デュカキスに対して同様の質問が投げかけられた。その質問は、「もしあなたの妻がレイプされて殺されたとしたら、その加害者に対する死刑を支持するのではないか？」というものだった。デュカキスの「暴力的な犯罪に対応する、より良い、より効果的な方法があると、私は思います」という回答は、彼の大統領になるチャンスを奪ったと広く信じられている。血に飢えた復讐心が欠如している彼は、自制や慈悲のお手本ではなく、「弱虫デュカキス」だとみなされたのだ。

哲学者マーサ・ヌスバウムはデュカキスが拒否した選択を「払い戻しへの道」と呼ぶ。復讐を求める衝動は、「宇宙の均衡」を求めるわたしたちの欲求と同時に、力を見せつけることによって非力感を克服しようとすることから生まれると、ヌスバウムは主張する。この論理によると、失われたものを復元したり、損傷したものを修復したりすることには何の役にも立たないにもかかわらず、復讐は傾いた秤のバランスを元に戻すということになる。

さらなる被害を防ぐためとか、強い対応をすることが妥当な理由もときにはある。しかし、多くの場合には、いきなり食ってかかるのは内省を避けるためのやり方だ。ジェニファー・ラーナーとダッチャー・ケルトナーによる二〇〇一年の調査で、人は怒りを覚えることで、幸せを感じるのと同じくらい、状況の結果について楽観的になれるということがわかった。言い換えれば、怒りは人びとを惨めにさせるが、同時に自信も与え、苦痛、恐れ、罪悪感、不確かさ、脆弱さなどの内省的な惨めさを締め出す。わたしたちは、悲嘆にくれるよりも怒っているほうを好むのだ。

政治的な対話では、怒りが絶えず呼び起こされる。だが、それにもかかわらず怒りが分析されることはめったにない。怒りとはいったい何なのだろう？　もっとも基本的なレベルでは、怒りはほかの哺乳類と共通する、威嚇に対する生理的反応である。怒りは、注意力、集中力、行動への準備といったものに関連して、心拍数の上昇、血圧の上昇、体温の上昇などの身体的反応の集合として表われる。だがほかの哺乳類との類似性はここまでだ。犬を棒で突いたら、犬は唸ったり、毛を逆立てたり、嚙み付いたりするかもしれない。しかし、神を冒瀆したり、応援するスポーツチームをけなしたり、別の犬を棒で突いた知人について話をしたりしても、犬はそういう反応は示さない。

実際に、「クリックベイト・ジャーナリズム[39]」の大部分は、「どこかで、誰かが、別の犬を突い

(38)「右の頰を殴られたら左の頰を差し出せ」という新約聖書の一説を踏まえている。

た」という記事である。そして、憤慨するのが好きなわたしたちの首の紐は簡単に引っ張られる。

想像と対話の能力があるわたしたちの種にとって、自分のステイタス、信念、優位性に対する挑戦は威嚇として認知される。人間の怒りは、自分の身体的、あるいは社会的、心理的な安寧が危機にさらされているという、文字上と想像上、どちらもの不安への対応である。憤怒の爆発は、脳卒中や心臓発作、血栓を引き起こす可能性がある。人はしょっちゅう憤りで死ぬ。

穏やかなレベルでの怒りの感情は単なる苛立ちであり、ちょっとした不快なことへの嫌悪感にすぎない。倫理上での苛立ちは、「これは嫌いだが、それだけではなく、本来起こるべきではなかったことだ」という憤慨になる。怒りというのは、一般的に「不当な扱いを受けた」という感覚から生じる。この観点において、「あなたはピザの最後のひときれを食べるべきではなかった」という信念は、「私たちはイラクに爆弾をおとすべきではなかった」という信念と類似している。どちらのケースでも、わたしは不正を感じ、それを正したいと願う。哺乳類の自己防衛本能を超えて動機づけられた怒りは、ものごとはどうあるべきか、どうあるべきではないのかという感覚の倫理に操作されている。しかし、感情の倫理的要素はその心理的な影響を説明しない。怒りは理解されることを強固に拒む。きわめて執念深いか極端なレベルの怒りは、状況や敵対する人びと、そして自分の役割や責任を理解することを妨げる。そういった我を忘れるような激しい憤りを「盲目的な怒り(blind rage)」と表現するのにはれっきとした理由がある。

この種の閉塞的な怒りにドナルド・トランプよりも夢中になっている者がほかにいるだろうか？例外的な特権を持って生まれ育ったために、挫折や侮辱に応対するもっとも初歩的な訓練すらしそこなった、狭量で、報復的で、芝居がかった男に、わたしたちの国は現在、導かれている。トランプにひきよせられた人びとが彼を大統領にしたのだが、それは、トランプが人びとの怒りに狙いを定め、彼らの怒りをさらにかきたて、国内外のおきまりの対象への報復を約束し、彼が大統領になったら医療、安全保障、環境、教育、経済が自分にとってどうなるのかを考える判断力を曇らせることに成功したからだ。

とはいえ、トランプの烈火のごとき興隆は、この国で憤怒が崇拝されるようになるまでの長い道のりが頂点に達した結果にすぎない。たとえば、わたしたちの法制度は、公平な正義の理想から報復を基盤に置いた型に後退しつつあった。刑務所制度ではいまだに「リハビリテーション」、「改心」、「矯正」といった、実際とは異なることを意味する用語を多く使っている。「刑務所」という単語の penitentiary には「悔い改める」という意味の penitence が暗示されているが、現在のレトリックと現実では、刑務所は純粋に懲罰的なものでしかない。あたかも死刑が個人的な復讐の手段であるかのように、被害者の家族はときおり加害者の処刑に招かれる(多くの家族はその場に同席するのを断るし、中には死刑に反対する者もいる)。

政府は、定期的に脅威を創作するか誇張し、暴力は必要不可欠であり、それを自制するのは弱さを示すことだとほのめかす。アメリカ合衆国は第二次世界大戦中には日系人を糾弾し、戦後は左翼に狙いを定めた。ソビエト連邦の崩壊後には大慌てで新しい敵を探し、イスラム教徒、移民、トラ

---

(39) クリック数を稼ぐことを目的とした煽情的なウェブ記事。

ンスジェンダーの人びとをターゲットにすることで落ち着いた。操作による怒りの誘発は政府にとって必要不可欠である。そして、もっとも怒っている人たちはしばしば、もっとも騙されやすい人たちであり、怒りの炎を煽るものであれば、いちいち吟味をせずに喜んで飛びつく。

ソーシャルメディアでは、最新の間違いを言った人やした人に正義の拳を振り上げて快感を得るために、事実に対してはいい加減な注意しか払わない。怒りは、多くの政治家や政治評論家、そして彼らに発言の場を与えるタブロイド紙やウェブサイトの常用手段だ。それは、怒りが本質的に反射的で爆発的な感情であり、誘発するのも怒りの矛先を操作するのも簡単だからだろう。実際に、ジェフリー・M・ベリーとサラ・ソブラジが『憤慨産業（*The Outrage Industry*）』で主張したように、怒りは、選ばれた顧客を対象に売られる一種の商品になっている。怒りを誘発するコンテンツは成功する可能性が高く、記憶にも残りやすい。とりわけ怒りそのものが心を身動きさせなくしてしまうからだ。

個人攻撃をし、政治の世界をヒーローと悪人に分断し、日替わりメニューの怒りをわたしたちに与えて「憤慨」を不正売買する多くの著名なメディアは、保守の人びとをターゲットにしている。つまり、ＦＯＸニュースやラジオのトーク番組のネットワークなどだ。だが、左よりメディアの多くも同じように怒りに惚れ込んでいる。わたしは「怒りを感じていないとしたら、あなたが注意を払っていないということだ」というスローガンの影響を受けて育った。これは、原則として感情と関与を同一視するもので、感情なしには関与もできないと示唆している。正義の憤慨はしばしば美徳とみなされる。

憤怒と憤慨はまったく同じことではない。後者の場合には、行なわれたことそのものに対する激しい怒りよりも、その受け手である人びとに対する共感が動機になっていると言えるかもしれない。二〇一七年一月二八日、イスラム教徒が多数を占める国からの入国規制が執行されたとき、多くの人びとがサンフランシスコ空港に集まり大きなデモを行なった。人を傷つけるためのものではなく、人が傷つけられるのを防ぐためのものだった。しかし、動機という点では、愛と憎しみの区分は想像するほど簡単に正確な線を描けるものではない。誰かを傷つけたいという願望を告白する人はめったにいない。中絶反対運動は生まれていない子どもへの愛で行動を正当化するが、ほとんどすべての人にとっては女性の自律に対する嫌悪が主要な動機になっているように見える。その激しい怒りが、きわめて致命的ないくつかの国内テロを引き起こした。

たいていの献身的な活動家の動機は愛だが、愛と憎しみは曖昧になることがある。人は、愛する者を脅かす存在に対する憎しみであることを理由に、憎む権利を主張することがありうるのだ。「赤ちゃんのための戦士」を名乗るロバート・ルイス・ディア・ジュニアは、コロラドスプリングスにある全米家族計画連盟(中絶はその仕事の三%でしかなく、八〇%は中絶に至ることがある望まぬ妊娠を防ぐためのものである)で、幼い子どもを持つ三人の親を銃殺した。愛からスタートしたのに、意図せずに憎しみへの長い道のりを辿る者もいる。怒りは憎しみとは異なる。だが、怒りをかきたてるものを傷つけたいという願望が一定のターゲットに絞られるようになったら、それは憎しみである。

矛盾のなかで、憎しみはしばしば愛と誤解されることもあるので、怒りに特別な権威を与えるのは危険である。保守に投票する人たちが抱く憤激はいつも、深いところにある真の懸念や確信が表層化した兆候だとみなされている。群衆を煽動するのがいとも簡単だというにもかかわらず、そして、彼らが抱く多くの懸念には根拠がほとんどない(あるいは、まったく存在しない)ということが何度も繰り返し証明されているのにもかかわらず。政治スペクトラムの両極端にいる人びとは、左右どちらであれ、自分たちがこれまでほとんど注意を払ったことがないことやよく知らないことについて、しばしば憤怒する。怒りは、深いところにある何かを示すダウジングロッドだとしょっちゅう誤解されるが、実際にはちょっと指を動かすだけでボリュームを上げられるダイヤルのようなものだと理解すべきだ。

怒る権利があるのは誰なのか? 法外な状況に対する反応としての怒りは正当なものとみなされる。ゆえに、怒りの根拠を否定すれば、その怒りの正当性も否定できる。また、「怒る権利があるのは誰なのか?」という問いの背後には、「怒りを行動に移すのが許されるのは誰なのか?」という問いがある。人種差別が与える影響の実際を否定することは、非白人の怒りを不合理で根拠がなく、さらには犯罪的だとして、悪者扱いするために不可欠な要素だ。女性が怒ることも、人格に問題があるとみなされる。過去何十年もの間、人びとはフェミニストはつねに怒っている女だというステレオタイプを作ってきた。それは、怒って当然な女性が体験してきた状況を否定するものだ(フェミニストの女性は実際には、苦しんでいる人たちに対して、悲しんでいたり、滅入っていたり、深く共感しているのかもしれないのに、女が抱くすべてのネガティヴな感情は「怒り」とみなされ、怒りはすべて女の欠陥とみなされる)。黒人女性は二重の偏見を受ける。人種とジェンダーにより、彼女たちの怒りは不当なものとみなされる。

作家のケリー・サンドバーグが育ったキリスト教保守派の文化では、「許容」は女性の重要な美徳とみなされていた。サンドバーグは、許しを与える少女や女を褒めることにより、〔女性を〕殴りつけたり、裏切ったりすることを何度も繰り返す男の罪に言い訳を与えることを奨励しているのだと気づいた。許しが必須であることが、非力であることを美徳にしてしまった。怒りが白人男性の特権とみなされている限り、女性や有色人種と権力との関係は居心地が悪いままである。カントリー・ミュージックには、暴力を振るう夫を殺すことを歌ったマルティナ・マクブライド、ディクシー・チックス、キャリー・アンダーウッドなどの曲がいくつかある。「弱虫トミー」では、暴力によってトミーは「男を上げる」。だが、暴力を振るう夫を妻が殺す歌では、誰も女を上げたりはしない。彼女たちの場合は、単に生き延びる可能性が高くなっただけだ。

霊長類学者が使う「威嚇誇示」や「支配行動」といった専門用語は、怒りの社会的な役割を理解するのに気味が悪いほど役立つ。憤怒を表現することは、他者を支配し、自分のステイタスを強く主張する方法のひとつである。ステイタスの一部は、親、上司、警察官、夫などが持つ「支配する権利」で定義される。「支配」はトミーが最終的にしたことであり、デュカキスがしそこなったことだ。

ヌスバウムは「自分の特権に傲慢さを持つ人は……とくに怒りを表わす傾向があるようだ」と指摘している。別の表現をすれば、自分の思い通りになることを期待すればするほど、それを阻害されたときの腹立ちが大きいのだ。阻害されることがもっとも多い立場の人間は、自分の憤怒を注意深く振り分けることを学ばなければならないのだが。実際、もっとも深刻で不当な扱いを受けた人は、誰よりも恨みに興味がないことが多い。オードレ・ロードは、「怒りの用途（*The Uses of Anger*）」というエッセイで、有色人種の女性は「自分たちを引き裂かないように、憤慨を調整することを学ばなければならない」と書いた。[40]作家のスティーヴン・スミスは、ネルソン・マンデラの追悼記事で同様のことを書いている。マンデラは刑務所の中で、「憎しみと敵意は模倣であり、他人の「悪」が仕掛けた罠である。この罠に落ちたら、自分と敵との見分けがなかなかつかなくなる」ことが理解できるようになった。ほかの者以上に怒る権利があったマンデラだが、それにもかかわらず憤ることをやめた。だが、彼は自分の周囲の世界を変えることは諦めなかった。この違いは非常に重要だ。

怒りは再生可能な資源である。はじめの怒りはつかのまのものかもしれない。だが、それを蒸し返すことはできるし、侮辱や不正のストーリーを自分自身に繰り返し語りきかせることで、ときには生涯にわたって怒りを強めていくこともできる。アメリカに存在する怒りについての説明の多くは、まるで反射的に怒ることは不可避で、怒りを引き起こす外部からの刺激が単なる変数であるかのように、人が何に対して怒っているのかに焦点が絞られている。怒りの状況やそれを支える心理の習慣などについて議論されることは、めったにない。それらが議論されるのは、精神世界や心理学の文献、人類学の教科書など、別のところだ。

キリスト教では、怒りは「七つの大罪」のひとつである。[41]枢要徳である忍耐は、その反対に位置する。仏教学では怒りは三毒のひとつであり、自己鍛錬と自己意識によって克服するべき病だ。禅宗の僧侶で、仏典の翻訳者でもある太源・ダン・レイトンは、次のように説明した。「怒りについての伝統的な倫理規範は、ときおり「怒らない」と翻訳されている。だが、現代の曹洞宗の禅では「悪意を抱かない」と表現する」。仏教作家のサニサラ（・メアリ・ウェインバーグ）はこのように言う。「怒りは、伝統的には叡智に近いものと考えられています。それが外部や他人にではなく、自分の内部に向けられるとき、やらねばならないことを理解するのに必要なエネルギーと明瞭さを与えてくれるのです」

誰しもたまには怒りを覚えるものだ。しかし、それを敵意に変えたり、蒸し返させたり、持続させたりする必要はない。仏教はエレガントなアンガーマネジメント[42]のお手本を提供してくれる。感情は制御して利用するのである。他人にぶつけずに、自分で感じるのだ。

文化によっては、怒りは人が耽溺するべきではない、贅沢なものだとみなされている。一九八六年の調査は、ペルーのアマゾンに住んでいるマチゲンガ族が怒りのことを危険で望ましくないものであり暴力と密接な関係にあるとみなしていることを示唆している。人類学者のジーン・ブリッグスは、一九六〇年代初頭にカナダでイヌイットと一緒に生活し、彼らが感情のコントロールを高く評価することを報告した。「試練がある環境で平静さを維持することは、成人として成熟している

---

(40) 多くの場合は黒人かヒスパニック系の女性を指す。
(41) 貪（とん）（欲）、瞋（じん）（怒り）、癡（ち）（愚痴）のうち、瞋をいう。
(42) 怒りを制御することを学ぶ心理療法プログラム。

ことを示す重要な徴である」とブリッグスは観察した。怒りを爆発させる大人は破壊的で、不安を与える存在だとみなされる。怒りは、成長とともに卒業するべきものなのだ。

アメリカに住むわたしたちは怒りを卒業していないし、そうするべきだとさえ思っていない。ことに左派は、怒りを変革に不可欠な触媒とみなしてきた。それは、デモやムーヴメントの名のもとに明白な信念である。一九六九年には、〔アメリカの極左テロ組織〕ウェザーマン（The Weather Underground）が、「デイズ・オブ・レイジ（憤怒の日々）」というデモを計画した。数百人の過激派の若者が集まったが、シカゴ市警察は人数の上でも戦力の上でも彼らを圧倒した。一九七〇年代、イギリスの組織「怒りの旅団」が一連の小規模の爆弾をしかけた。一九九一年には政治的なロックバンド、レイジ・アゲインスト・ザ・マシーンが結成され、アナーキスト共同体のラブ・アンド・レイジ（愛と憤怒）は一九九〇年代の大半にわたって同名の新聞を発行した。

左翼の社会活動に関する奇妙なことのひとつは、物を壊したり、拳で殴りつけたり、石を投げたりといった、政権を覆すようなものではない些細な暴力が社会改革に役立つ戦略かどうかを長年にわたって議論していることだ。賛成派はしばしば「暴力を支持しないのは臆病者で〔体制に〕妥協している」という辱めを使う。彼らが使う最悪の侮辱の呼び名は「リベラル」だ。だが、暴力の擁護者たちはたいてい、「暴力は個人表現の一形態であり、その表現を否定する権利は誰にもない」という論を頼りにする。

これは、「自由に流れないものは鬱積し、不健康な精神的プレッシャーを増大させる」という古い考え方からきているようだ。「衝動は避けられないものであり、川は海に流れ込まねばならない、それが当然だ」という考えだ。水がどこから川に流れ込んでいるのか、避けられない流れなのかどうか、流れを導くことができる別の方向はどこか、といったことは問わない。こうして暴力は正当化され、世界的な革命戦略というよりもむしろ、個人表現の一形態、ブルジョアの個人主義の一部になる。実際には自分への抑圧に対して闘っているのであり、他人のためではない、その結果など知ったことではない、というわけだ。それは、まったくばかげていて、非戦略的だ。[*1]

わたしたちはよく、「我を忘れるほどの怒り」について話す。わたしが一番最近怒ったのは、反ユダヤ主義のあるコメントに対してだった。やりとりの詳細を頭の中で何度も再現し、告発に対して法廷で争っているかのように、自分の主張を強固にしていった。怒りを煮えたぎらせていた約三六時間は、それが何であれ、ほかにもっと有益で楽しいことに使えていたはずだった。わたしを怒らせたその中傷は、左翼が暴力を使うことについての会話のなかに出てきた。「でも、〔ユダヤ人が〕ナチスドイツに抵抗しなかったから、六〇〇万人も死んだのではないか？」というコメントは、ひとつの大陸全域に住んでいるひとつの民族集団全員を臆病者扱いするものだった。わたしはこの発言を問いただし、彼は最終的に謝罪して、事実を理解していない愚かな意見だったことを認めた。それにもかかわらず、わたしは固執してしまった。

怒りが、ほかの思考を頭から締め出してしまい、直接にはわたしを脅かしてはいないその瞬間から抜け出せなくなってしまった（とはいえ、反ユダヤ主義の中傷とその背後にある信念は、反ユダヤ主義的な行動の根底にあるもので、現在、それが復活してきている）。それはまるで、鋭い刃がついた重い何かがわたしの胸に激突して中に入りこみ、内部で炎がくすぶっているような感じだった。あたかも、わたしの心がポーランドのパルチザン、フランスのレジスタンス、ワルシャワのゲットーでの蜂起、イタリアでレジスタンス活動をしているプリーモ・レーヴィなどを再訪するランニングマシンに乗っているような感じだった。この反芻は、総じて心地よいものではなく、生産的でもなかった。このランニングマシンから降りたとき、わたしはもっと自己管理することを誓った。

わたしの経験では、長期にわたって実際的な改革に献身している人たちの多くは、劇的な怒りにまきこまれることがほとんどない人たちだ。そうした怒りは、自分と他人のどちらも苛立たせるものだ。何百件ものレイプの詳細を読んだり聴いたりしたあとには、政治的な行動に関わろうという強い意欲を抱いていられるだろうが、新しいレイプ事件が起こるたびに憤慨しつづけることは難しい。わたしが知るもっとも献身的な活動家たちは、しょっちゅう憤慨してはいない。彼らの第一の責務は現状を変えることであり、そのための行動である。自己表現ではない。

多くの政治的レトリックは、怒りなくしては効果的な取り組みはありえない、怒りは社会変革のエンジンを動かすガソリンのようなものだと促す。だが、ガソリンは、ときにはただ物を爆発させるだけのものなのだ。

＊1　これを書いたのは、白人優越主義者の暴力に対抗するボランティア集団の「アンティファ（Antifa）」が興隆する前のことである。それはまったく別の時代の別の話になる。

聖歌隊に説教をする

Preaching to the Choir (2017)

グランドキャニオンで川下りの旅をしたとき、メキシコ湾で石油採掘機の運営管理をしているチャーミングでユーモアがある男性と一緒になった。彼は、連邦下院議長になったばかりの民主党のナンシー・ペロシをこき下ろすのが好きだった。ある日わたしは、自分もペロシが嫌いだと彼に伝えた。多くの問題において彼女の立ち位置がわたしよりもかなり右よりだからだ。その男性はとても驚いていた。彼はペロシがこの宇宙で一番左端にいて、その向こうには何も存在しないと思っていたからだ。

この石油業者（オイルマン）の男は陸にいるときにはコロラドスプリングスに住んでおり、わたしはサンフランシスコの住民だ。地理だけでも、わたしたちは互いにとってエキゾチックな種である。この川下りの旅をした二〇〇九年は、気づけば見知らぬ他人にさえ「わたしの地元の〔左派が多いことで知られるサンフランシスコの〕住民は、右翼のどのコミュニティとも同じくらい了見が狭い」と、フラストレーション混じりに語っていることが多い年だった。わたしたちはみな、外の世界から隔離されたシャボン玉の中に住み、その中でそれぞれの聖歌隊に説教をしている。わたしはそれを超えた、もっと実質的な対話を求めていた。だが、川下りの筏(いかだ)の中での会話は、結局のところ、とくに啓蒙的なものではなかった。わたしは彼のテキサス方言を楽しみ、ふたりともバターミルクビスケットが好きだという共通点をみつけた。けれども、わたしたちのどちらも化石燃料産業についての相手の考え方を変えることはなかったし、それを試みようともしなかった。だからこそ、この出会いが良い思い出に感じられるのかもしれない。

その主張にすでに同意している相手に威張って説明する「聖歌隊に説教をする」という慣用句があるが[43]、自分の徳を表明するために他人を激しく咎めるこの傾向は、急進派がよく犯す罪だ。だが、信じるところが多かれ少なかれ合致している者同士が、けなしあったり、話をはねつけたりするのは、一般によくあることでもある。「聖歌隊に説教をする」という慣用句は、政治的な活動は主に福音伝道的なものであり、布教でさえあるべきだということを含意している。異教徒のもとに出向いて改宗させることが務めで、自分と同じ信念を持つ者に対して話しかけても何も達成しないというのだ。だが、非常に意見が異なる人の見解を変えることができるのは、並はずれて辛抱強く、熟練した手腕を持つ人だけだ。

同胞との集まりで説教されることには、何の目的もないのだろうか？　賛美歌を歌う、ほんの少し祈る、魂を安らげる、友だちに会う、牧師や神父の説教を聞く、といった目的のほかに、教会に行く理由があるのだろうか？　シカゴの聖歌隊で古代と近代の東欧の曲を歌うカティア・ライサンダーに、この言い回しについてどう思うか尋ねてみた。実際には礼拝には、信者、聖歌隊、説教者、神という四つの聴衆があることを彼女は指摘した。聖歌隊は通常説教壇のうしろ側か両側にいるので、聖歌隊に向かって説教する神父は、信者に背をむけて間違った方向を向いていることになる。ライサンダーは、説教者は聖歌隊にも司教にも同僚にも信者にも聖典にも耳をすませるということを言い添えてくれたのかもしれない。そして、礼拝のあとではみな、教会(あるいはシナゴーグやモスク)の階段で互いの近況報告を取り交わす。教会での会話とは、言い換えれば、多くの異なる役割を持つ人びとの間の、一連の対話で構成されているのだ。

さらに、聖歌隊に説教するべきではないと勧めることは、説教の本質を誤解していることにもなる。対話や新しい情報の伝達は、最重要の目的ではない。説教者には別の仕事があるのだ。古くから説教とは、要の聖典とその意味を無尽蔵のものとみなす、一種の文学評論のようなものだ。多くの大人は小さな子どものように同じ物語を一度だけでなく何度も聞くのを楽しむものだし、きわめて深みがある物語であれば聞くたびに新しい視点を得るのではないだろうか。たいていの宗教には祈禱と語り、聖歌と歌があり、それらはけっして涸れることがない意味の井戸のように感じる。もう一度、「戦いのために手にしていた剣と盾を川辺に置く[44]」ことができるし、「これまで見えなかったものが今は見える[45]」ことを言い表わす方法は、いつだってもっと多くある。

---

(43) よく知っている者にさらに教えることの喩え。「釈迦に説法」に類似。
(44) ゴスペルの「ダウン・バイ・ザ・リバーサイド」の歌詞より。
(45) 「アメイジング・グレイス」の歌詞より。

かつてサンフランシスコ交響楽団の合唱団に属していたミシガン州グランドラピッズの牧師、カレン・ヘイグッド・ストークスは、自分の目的は既存の信念を信じるよう説得するというよりも、探求するよう促すことなのだと説明してくれた。「説教者としての私の仕事は、同意できることを探し、そこから別の場所に移っていくことです。考えを変えさせるのではなく、その人の理解を深めさせていくのです」。彼女の教会に来る信者が共有するのは目的地ではない。それは出発点なのだ。「なぜ私たちは然(しか)りと思うのか、批判的に考えたことはあるだろうか」と、もっと深く自分自身に問うように呼びかけるのだ。

聖歌隊に説教するべきではないという考えの背後にある根本的な思い込みは、自分が語りかけるべき聴衆は敵であり、味方ではないというものだ。選挙シーズンには、とくにこれが当てはまる。支持基盤に的を絞るのではなく反対する者の信念を覆すことによって選挙に勝てるというのが、一般に浸透している見解だからだ。この論拠に従うと、選挙の間にわたしが書く文章や発言はすべて、敵を勧誘すべく、狙いを定めて投じられなければならない。自分とほとんど共通点がない他人の気分を害するような意見を書くべきではないと、わたしはよく戒められる。彼らを苛立たせたり、遠ざけたりしないような発言をするよう——そういうフワフワした言葉がどんなものか、どうやってそれを加えたらいいのか、わたしにはよくわからないが——諭される。すでに関係ができていて関心を共有する人たちに、なぜわざわざ時間を浪費するのか、それよりわたしに情熱的に反対する人たちに向けて努力するべきだというのだ。

昨今の大統領選挙でとりわけ耐え難いお作法のひとつが、支持する候補をまだ決めていない「浮動票」の有権者を連れてきて、候補者に質問させるディベートだ。この見世物の背景には、公民権や富裕層への減税などに賛成か反対かよくわからない人たちを取り合う競争によって候補者が選挙に勝つという前提がある。だが、すでに合意のある人たちに意欲を与える――どう投票するか決めていない有権者ではなく、投票するかどうかわからない有権者を追求する――ほうが、政治組織は最大の利益を得られることを、多くの証拠は示唆している。これはつまり、歴史的にみて投票所に行かない可能性が高い有権者、貧しい人、若者、非白人に働きかけることだ。共和党はこれをよく知っている。だからこそ、彼らはこれらの人びとをターゲットに、完璧な有権者弾圧戦略をするよう懸命に取り組んできたのだ。

それにもかかわらず、民主党の中道派は自分たちを支持しない人たちを獲得しようとし、そうすることによって支持者を裏切る。それはまるで、ほかの宗教の信者たちの間に侵入するために自分の信者だけでなく信条すら棄てたようなものだ。勧誘するつもりでいるかもしれないが、実際には自分の宗教を棄てているのだ。福祉制度の「改革」、対テロ戦争、貧困者を罰する経済政策、「白人労働者階級」を味方にする幻想などが、それに当てはまる。新しい投票者を取り込もうとする見当違いの試みが、既存の信者を何度も裏切ってきた。

二〇一七年、保守層にアピールする取り組みとして、一部の民主党議員は性と生殖に関する権利（リプロダクティヴ・ライツ）がアイデンティティ・ポリティクスだと軽く片付け、経済的正義ほど重要ではないとまで判断し、関与を怠ってしまった。だが、多くの女性が指摘しているように、このスタンスは、人口の半分である女性が自分の身体をコントロールして自分の家族を計画することができないかぎり、経済的に同等になることができないということを理解しそこなっているものだ。問題は、戦略と方針の両方である。自分と同じ考えを持たない者を追いかけることで勝てるのか、それとも、すでにいる支持者たちに敬意を払い、彼らのために働くのか。聖歌隊の目的は異教徒に向かって歌うことなのか、それとも敬虔な信者の意欲をかきたてることなのか。もし信者たちが教会に来るのをやめ、寄付をやめ、手伝いをやめたらどうなるのか。

対話を強調するのは、行動よりも思想のほうが重要だと思われられがちで、つまり、圧倒的多数の合意が政治や社会の変革をもたらすという考えがあるからだ。過去何年もの間、わたしは、気候変動を事実だと考えるアメリカ人が何人かという世論調査の数字に取り憑かれている人たちの話を耳にしてきた。彼らは、気候変動が事実だとすべての人を説得できたら危機は解決するのだと確信しているかのようだった。だが、気候変動は事実で緊急事態だとすでに信じている人たちが問題解決のために何もしなかったら、何も起きはしない。すべての人が合意する可能性は低いだけでなく、合意を得られるかどうかは問題ではない。合意は待つに値しない。女性が男性と同じ不可侵の権利を授かっているということを信じない人はいまだにいるが、それが男女平等の原則に基づいた政策の作成を妨げることはなかった。

重要なのは、行動に移す者がいることだ。二〇〇六年、政治学者のエリカ・チェノウェスは、非暴力が暴力と同じくらい政権交代に効果的かどうかを確かめるべく試みた。彼女自身も驚いたことに、非暴力の戦略のほうがうまくいくということがわかった。人口のたった三・五%ほどの人たちが抵抗すれば非暴力的に政権を倒すことさえできるというチェノウェスの結論に、市民運動の活動家たちは魅了された。言い換えれば、変化を生み出すためにはすべての人が合意する必要はないということだ。ただ、一部の人が情熱的に賛同して寄付をし、選挙運動をし、デモに参加し、ケガや逮捕のリスクを取り、投獄や死の可能性を覚悟すればよいのだ。彼らの情熱的な信念は、ほかの人に影響を与えるかもしれない。思想は周縁で生まれ、内側に移行することで成就するものである。自分が抱く思想が移動しつづけているのではなく、すでに本質にたどり着いたものだと主張するのは、変化というものがどのように起こるのかを見誤ることになる。

一九六〇年代初頭のギャラップ世論調査によると、アメリカ人の大半は公民権運動の戦術を支持しておらず、一九六三年のワシントン大行進に賛成する人は四分の一以下だった。それにもかかわらず、この大行進は一九六四年に連邦政府が公民権法を可決するのを後押しした。マーティン・ルーサー・キング・ジュニアが、「聖歌隊に説教をする」最高の例である「私には夢がある」という演説をしたのが、この大行進だった。キング牧師は彼に反対する者を説得するのではなく、自分の支持者を鼓舞するために語ったのだ。彼は中庸と漸進主義を非難した。そして、聴衆が不満を抱くのは正当かつ必要なことであり、劇的な変化を要求するべきだと主張した。白人の味方は必要だが、黒人の活動家は彼らを待つ必要はない。多くの場合、他者を転向させるのは、情熱的な理想主義の事例なのである。妥協しない高潔なふるまいは、妥協よりも影響力を持つ。ときに、人びとがいまいるところに集うよりも、人びとが最終的に到達したいところに自分の身を置くべきなのだ。

聖歌隊は、毎週日曜日に教会に姿を現し、すべての説教を聴き、教会に猛烈に寄付する信心深い人で構成されている。仲間と一緒に過ごす時間や、同情や共有体験の積み重ねが、合唱のハーモニーを助けているところがある。政治的に勝つためには、自分たち自身にやる気を起こさせる必要がある。

自己洞察の追求もまた、「聖歌隊に説教をする」と片付けられてしまう。友人や仲間や同僚とは、漠たる合意があるという事実を超えて、話し合うべきことや、話し合いたいことが幾千もある。戦略と実務のマネジメント、理論の詳細、漸進的かつ最終的な価値と目標、良くも悪くも状況の変化に応じた再評価などだ。このひな形にあっては、効果的なスピーチとは、人びとが信じていることを転換させる錬金術ではない。それは、人びとに行動を起こさせる電気刺激であり、あることがなぜ重要なのか、自分はどこに立っているのかを、理解することを促してくれるものだ。

「聖歌隊に説教をする」という慣用句をよく耳にするようになったのは、わたしたちが日常でのコミュニケーションを骨かそれ以下まで削り取ってしまったからかもしれない。数十年前にはただ思いをめぐらせたり、親しくおしゃべりをしたりするために、友だちと長電話するのはふつうのことだったが、いまではわたしの知り合いのほとんど誰もそんなことはしない。電話は予定の再調整や約束の確認といった実用的なやりとりのためだけにある。Eメールは一九九〇年代には手紙とよく似ていたが、いまや小さなスペースでの短い言葉のほとばしりで、テキストメッセージのようになってしまい、もはや、手紙のように芸術として書かれるものでも、文書として保存されるものでも、さほど熟考されるものでもなくなってしまった。多くの人が、はっきりした目的なしにたむろするには忙しすぎる。あるいは、それができるということを知らない。しばしば戦闘の舞台であり抽象的な接触であるソーシャルメディアが、(教会を含む)実際の場所で直接会っておしゃべりすることにとってかわってしまったのだ。

「コレスポンデンス(correspondence)」[46]。この美しい言葉は、手紙のやりとりと人間同士の親近感や類似性の両方を表わしている。わたしたちは、応答(コレスポンデンス)をしたいから言葉をやりとり(コレスポンデンス)するのである。若かりしころのわたしは、ほかの若い女たちと、面倒くさい母親や、頼りにならない男たちや、心の痛みや野心や不安について、真剣な長い会話を交わした。ときにこうした会話は、堂々巡りにもなった。ときには、あたりまえで公平に感じるものを手に入れることができないことに行きづまったりした。けれども、彼女たちは本領を発揮し、わたしたちの認識や感情は事実無根なものでも不当なものでもなく、同じ体験を共有する味方が傍らにおり、わたしたちには価値があり可能性があるのだと確信させてくれた。わたしたちは、自分自身と互いとの絆を強めていたのだ。

　会話は援助と愛を伝える第一の方法である。誰が自分の友であるのか見出す手段であり、多くの場合、友情を生み出す手段でもある。友情は継続的な会話であり、会話は心の協働であり、協働は文化やコミュニティを築いているビルから取り出されたひとつのレンガであると想像できるかもしれない。「聖歌隊に説教をする」という慣用句は、会話の感情的な価値と知的な価値の両方を否定している。

　理想的な知的交流においては、意見の相違はライバルを叩きのめすことを意味するのではなく提

---

(46) 通信や文書、対応を意味する。共同、共通、相互を意味する「co」と、反応、対応、返答を意味する「response」が含まれている。

案の構造を強化することであり、分析を意味する。概して同意しているが、具体的に解決しなければならないことがある人たちとするもので、その作業は喜びともなりうる。相手に納得してもらいたいと願うのと同じく、相手に納得させられることをいとわず、広い心で臨むその作業は、福音主義の伝道に反するものだ。こうしたやり方をしたい人にとっては、思考の探求とは、出発点のはるか向こうに意味と理解を拡張させることができる、繊細な喜びに満ちた冒険である。思考はテニスボールのように行き交い、プレーヤーはボレーを返すごとに成長し、変化する。これは、誰もがなんでも質問でき、思考が美しいものであり、正確さが聖であり、そして説教者も聖歌隊もいない編成である。

思想や倫理についての政治的に大きな仕事や有益な議論がソーシャルメディア上で展開しているが、わたしたちが一緒に(あるいは孤独に)費やす時間の大半は、微妙なニュアンスや複雑さを伝えるのには適していないインターネットという闘技場で費やす時間に置き換わってしまった。わたしたちは記事の見出し(ヘッドライン)や、二元論、〔多様なものをひとまとめにしてしまう〕キャッチオールといったカテゴリでものを考え、言葉をバレエのひとつのポーズのように捉えるかわりにボードゲームのチェッカーの駒のようなものとして捉え、短い宣言文を使うように変じてしまった。黒でないものはすべて白だという自信がある人には、灰色の程度や色あいについての話し合いなど的外れになってしまう。この絶対主義は、自分と完全には合意できない人に対して、完全に非難することが唯一の立ち位置だと決めつける。そして、この合意とは、ニュアンスや戦略や探求の可能性などがない、ただのゴール地点なのだ。

絶対主義は、実際的な政治とは明らかに対極にある。実際の政治では、もちろん自分には同意しない人や、あることでは同意するけれど別のことではしない人たちを理解し、ときには協働する必要がある(一九八〇年代の反核政治集会でわたしが学んだように、五〇年代に核実験の風下に住んでいたモルモン教徒、パンクロックファンの若者、異教徒、日本人僧侶、フランシスコ会の修道士と尼僧、西部ショショーニ族の長老らは、一緒に仲良く活動していた)。違いがありながらも共存するしかなく、旅において最大限の効果を得なければならないという人間の条件にとって、おそらく絶対主義は対極にあるのだろう。

仲間うちで話をすることの価値を否定するのは、説教についてと同じように、単なる説得や情報の伝達をはるかに超えた会話の価値を見過ごすことになる。会話は、本領を発揮するならば、多くの微妙で間接的なことがらを成し遂げる手段なのである。一九九八年に亡くなった画家ルドルフ・バラニックが、かつてわたしに語ってくれた思い出話がある。東ヨーロッパからの難民として渡米したばかりの一九三〇年代後半、バラニックは冬の凍てつく日にニューヨーク市でフェリーに乗った。デッキで隣に立っていた黒人に堅苦しい英語で「とても寒いですね」と話しかけると、同乗客であるその男は「あ〜、そーだねぇ(Yeaaahh, man)」と答えた。バラニックは「なんでこの男は歌っているんだろう?」と不思議に思った。この瞬間はずっと彼の記憶に残った。馴染みがないニューヨーカーの音楽のようなイントネーションのおかげで、それ以外にはありきたりなやりとりが思い出深いものになったのだ。そして、この思い出話はわたしの心にも残った。なぜ、天気というお互いにわかりきった状況について、見知らぬ他人に話しかける必要があるのか? それは、たとえどんなことがわたしたちを分け隔てていても、わたしたちは同じ場所に存在し、この共通点を持っている、という確認なのである。それに、これは会話の糸口なのだ。この時点でお互いを理解していないとしても、少なくともこの出発点から始めることができる。

言葉は、文字通りではない多くの働きをする。たとえばあの寒さについての短いやりとりが二人の見知らぬ他人の間に温かみを作ったように。日常的に会う人たちとの場合には、こういった小さなやりとりが、近所や、新聞売り場や、病院や、自動車修理店などでの、楽しく、ときに命綱となるような人間関係を作る。草原の土は、生きた草と死んだ草の両方のみごとな糸状の根っこが、地表のはるか下にまで達し、広く分布した「根系」によって、その場につなぎ留められている。人間も交流によって、ある種の根系が生まれ、事実というより感情から生まれた、近所やコミュニティや社会とわたしたちが呼ぶ複合体に、人をつなぎ留めているのだ。

そして、人生の最大の喜びのひとつに、じゃれあい(フラート)がある。じゃれあいのなかでやりとりされるのは情報と交渉かもしれないが、とてもウキウキする類(たぐい)のものだ。口に出すそれぞれの言葉が、その道を進む一歩であり、同時に陶酔するようなものなのだ。つまり、会話は仕事というよりも遊びになりえるし、あるいはカティア・ライサンダーが指摘したように、実用的な意味ではまったく情報たりえないものについても、微妙な働きをなすことができる。

カレン・ストークス牧師は、聖歌隊はインターネットの闘争的な文化と、ほぼ正反対の空間を提供してくれていると思うとわたしに語った。「これまで私が勤めた多くの教会では、聖歌隊は主要な支援グループでした。毎週会い、一緒に過ごし、日曜にはさらに時間を費やし、互いへの献身を誓っていました。突然そこに行って「さあ、歌いましょう」とか「もう帰ります」などとは言えないのです。すべての人が、たとえば音楽を創ることとか、教会という場所とか、神を賛美する音楽とか、そういった自分より大きなものに身を任せているのです」

幅広い合意をなした事例にはたいてい、疑問や未解決の相違、そして可能性が含まれている。合意というのは、ただの基盤にすぎない。それでも、活発な抵抗運動によって、そこからわたしたちは強い愛のコミュニティを築き上げることができる。一九六三年のあの日、「私たちはひとりで歩くことはできない」とキング牧師は言った。一緒に歩き、語り合う人びとを見出すことで、わたしたちは力だけでなく喜びも見出すことができる。

Ⅲ　アメリカの境界

American EDGES

気候変動は暴力だ

Climate Change Is Violence (2014)

貧しい者が誰かを傷つけるとしたら、自分の手かナイフ、棍棒を使うといった古く伝統的な——職人的暴力とでも呼ぶべき方法しかない。あるいは、現代的な実践の暴力なら、銃か車が武器になるかもしれない。

しかし、極めて裕福な者であれば、自分は直接には手をくださずに、工業的規模の暴力を振るうことが可能になる。たとえば、バングラデシュに労働搾取工場（スウェットショップ・ファクトリー）を作ってそれが崩れ落ちたら、リスクと利益を計算したうえで毒が入った製品や安全ではない製品を世界中にばらまいたら（企業はしょっちゅうやっていることだ）、自分で直接に人を殺した連続殺人犯の誰よりも多くの人を殺せる。国家の首脳であれば、宣戦布告することで、何百人、何千人、何百万人も殺すことができる。アメリカやロシアといった核保有超大国は、いまだに地球上の多くの命を破滅させる選択権を持っている。石炭、石油、天然ガスといった化石燃料で巨額の富を得ている「カーボン男爵[47]」らもそうだ。

それなのに、わたしたちが暴力について語るときは、ほとんどいつも下からの暴力のことであり、上からのものではない。ある気候変動対策運動のグループから「科学者らが、気候変動と暴力の増加の間に直接的関連があることを発見した」というプレスリリースを受け取ったとき、わたしはそう思った。〔イギリスの学術雑誌〕『ネイチャー』のなかではさほど報道価値がない記事で、科学者が実際のところ書いていたのは、「エルニーニョが発生する年には、熱帯地域で起こる紛争の数が多い。ということは、気候変動のこの時代は、たぶん内戦や国際紛争の時代になるだろう」ということだった。

このプレスリリースが伝えるメッセージは、地球の温暖化が進む時代には、大衆のふるまいが悪くなるだろうということだ。それはまったくもって理にかなっているように感じる。しかし、気候変動そのものが暴力であるという前提に戻ったらどうだろう。極度で、身の毛がよだつ、長期で、広範囲にわたる暴力だと。

気候変動は、人間が引き起こしたほかのどんな大きなものごとよりも、人類が原因のものである。気候変動の結果として、海の酸性化が起こり、そこに住む多くの種が減少し、モルディブのような群島国家が消滅し、異常気象がじょじょに増え、洪水や干ばつが起こり、作物の不作で食料価格が上昇し、飢饉が起こることを、わたしたちは知っている（ヒューストン、ニューヨーク、プエルトリコを襲った最近のハリケーン、カリフォルニアやオーストラリアの山火事、フィリピンを襲った

（47）化石燃料の発掘から精製、マーケティングや販売を通じて巨額の利益を享受しているコングロマリット。

台風、何千人もの単位で老人を殺している酷暑と熱波を考えればわかる）。

気候変動は暴力なのだ。

気候変動と暴力について語るのであれば、暴力としての気候変動について語ろう。生存がかかっている資源の破壊に対して大衆が不穏な反応をするかどうか心配するよりも、破壊そのものと、人類の生存そのものを心配しよう。作物の不作、水不足、洪水は、すでに起きているし、これからもつづくし、大規模な人口移動や気候による難民を作り出し、それが紛争を引き起こすだろう。そうした紛争は、いま、すでに始まってもいる。

アフリカ大陸北部と中東の指導者らを入れ替えた一連の蜂起、「アラブの春」も、引き金になったひとつが小麦価格の上昇であったことを考えると、いくらかは気候変動による紛争とみなすことができる。あの人たちがそもそも飢えていなかったらどんなによかっただろう、と考えることもできる。だが、そのいっぽうで、生命の維持に必要な食料や希望を剝奪されていることに対して人びとが立ち上がったのは、素晴らしいことだと言えないだろうか。そこで考えねばならないのは、飢えを生み出しているしくみだ。たとえばエジプトのような国での巨大な経済不均衡と、人びとを社会制度の下層階級に抑え込んでおくための残虐行為、そして気候である。

人びとは生活が耐え難くなったときに反乱を起こす。ときに干ばつ、疫病、嵐、洪水といった重大事が、その耐え難さを作り上げる。けれども、食料と医療、健康と安寧、住居と教育へのアクセスといったものは、経済的手段や政府の政策にも支配されている。気候変動は食料の生産を不安定にし、食料品の価格を上げ、飢餓を増加させる。だが、その前からすでに地球上の広範囲に飢餓は存在し、その原因のほとんどは、自然や農民のせいではなく配分なのだ。米農務省によると、アメリカ合衆国で現在一六〇〇万人近い子どもたちが飢えている。それは、農業が盛んで広大な面積に恵まれたアメリカが、国民全員をまかなう食料を生産できないからではない。わたしたちの国は、分配システムそのものが一種の暴力である国なのだ。

気候変動が突然に不平等な分配の時代をもたらすわけではない。人びとが将来革命を起こすとしたら、過去と同じ理由、つまりシステムの不公平さに対してだろう。彼らは革命を起こすべきだし、それが必要な状況は喜ばしくないにせよ、わたしたちは革命を喜ぶべきだ。フランス革命のきっかけのひとつは、パンの価格が高騰して貧しい人びとが飢えた、一七八八年の小麦の凶作だった。このような出来事に対する防護手段として、しばしば独裁主義の強化や貧しい者へのさらなる脅迫が用いられるが、それは沸騰して吹きこぼれている鍋に蓋をしようとするようなものだ。もうひとつの選択（オルタナティヴ）は、火を弱めることである。

気候変動と暴力に関する検討不足のプレスリリースを受け取ったのと同じ週、エクソンモービル社が方針報告書を公表した。ドライなビジネス用語から彼らが利益のために行なうことの結果を思い描けないかぎりは、退屈な読み物である。エクソンは「わが社のすべての炭化水素鉱床は、現在も今後も「取り残される」ことはないという自信があります。我々は、これらの資源を生産するのは、全世界の増加するエネルギー需要に応えるためにも必要不可欠だと確信しています」と書いていた。

「取り残された資源」とは、地下にまだ残っている石炭、石油、天然ガスなど近未来中に採掘して燃やすことを決めないと無価値になってしまう化石燃料資源のことだ。科学者たちは、極端なレベルではなくもっとマイルドな気候変動にとどめておくつもりであれば、現在、判明している地下の化石燃料鉱床のほぼすべてを、そのままにしておく必要があると提言している。マイルドなバージョンの気候変動であれば、数えきれないほど多くの人びとや生物の種や土地が生き残ることができる。最良の筋書きであれば、地球のダメージは少なくてすむ。現在、わたしたちは、地球をどれだけ荒廃させるか〔その程度〕を口論しているところなのだ。

わたしたちが着目しなければならないのは、さほど力を持たない者による直接的な暴力だけではなく、産業規模の構造的な暴力なのだ。気候変動に関しては、これはことに真実だ。エクソンは、わたしたちには企業が持つ鉱床を地下にとどまらせておく力はないというほうに賭けると決め、迅速かつ暴力的で意図的な地球の破壊から利益を得つづけると出資者たちを安心させているのだ。

「地球の破壊」というのはありきたりすぎるフレーズだが、それを飢えた子どもの顔や荒れ果てた土地に置き換え、それを何百万倍にしてみよう。あるいは、いままさに酸性化している海で貝殻を作ることができなくなっている帆立貝、牡蠣、北極の巻き貝などの軟体動物の写真に。あるいは、次に都市を引き裂く新たな大型の嵐にも。土地や生物に対してと同じく人間に対しても、気候変動は世界規模の暴力なのだ。そのものを真の名で呼ぶことにより、わたしたちはようやく優先すべきことや価値について本当の対話を始めることができる。なぜなら、蛮行に抵抗する革命は、蛮行を隠す言葉に抵抗する革命から始まるのだから。

国の土台に流された血

Blood on the Foundation (2006)

まだ一〇代だった双子の兄弟が殺害されたのは、美しいところだった。そして、彼らを殺した男らと双子の伯父は、のちにアメリカ合衆国でとりわけよく知られる人物になった。しかし、一八四六年六月二八日の日曜日、殺人が起こったサンフランシスコのすぐ北にあるその場所は、まだアメリカ合衆国ではなかったのだ。残りのカリフォルニアと南西部全体と同様に、メキシコの領地であり、だからこそフランシスコとラモンのデ・ハロ兄弟は、年配の伯父のホセ・デ・ラ・レイエス・ベレイエッサとともに、冷酷に撃ち殺されたのだ。

わたしはこの出来事を何度も心に思い描いたので、そのシーンを目に浮かべることができる。セラーペ(48)を着て鞍を持った三人の男が、サンフランシスコ湾の青い水を背に立っている。彼らは最初驚き、呆然とし、そしてガンマンにひとりずつ狙い撃ちされて死んでいく。手つかずの自然のまま

(48) 中南米の男性が着用する毛布状の肩掛け。

の湾の水を背景にした三人の姿は、どこか荒涼として象徴的だ。青い水、黄金に輝く丘、この美しい土地を背景に直立している三人。そして、岸辺に崩れ落ちている三つの死体。それはバラードで歌われる類の死であり、絵に描かれるような死である。けれども、デ・ハロ兄弟の死について言及しているのは、サン・ラファエル生まれの詩人ロバート・ハースが一九七〇年に発表した「パロ・アルト——湿地帯(マリアナ・リチャードソン[一八三〇—一八九九]へ)」という詩だけで、ほかには誰も、この殺人にとくに注意を払わなかった。

殺人現場は、いくつかの記録では湾に突き出しているややひなびた半島、サンペドロ岬だとされており、ほかの記録では、現在のサン・ラファエルの中心街であるミッション・サンラファエルの近くだとされている。すべての記録で一致しているのは、三人のメキシコの市民が、現在のバークレーの北にあるサンパブロ岬から船で来たということだ。当時、情報が伝わるのは、馬かボートの速度だった。六月一四日に北カリフォルニアの行政官であったマリアノ・グアダルペ・バエホがソノマで捕まえられたというニュースは、まだ多くのカリフォルニオには届いていなかったことだろう(アルタ・カリフォルニアに住んでいたメキシコ市民はカリフォルニオと呼ばれていた)[49]。しかし、ベレイエッサは、ソノマ市長である息子のホセ・デ・ロス・サントス・ベレイエッサが逮捕されたというニュースを耳にし、その調査をするために甥たちと一緒に船を漕いでむかったのだった。

このころ、小さな戦争が起こりかけていた。ジェームズ・ポーク大統領は領土を拡張する大きな野心を抱いており、カリフォルニオらが(領地もろとも)アメリカ合衆国に亡命を促すための使徒として、トーマス・O・ラーキンを送り込んだ。同時に、ポーク大統領はイギリスに太平洋岸北西部での紛争を解決するよう要求し、現在のオレゴン州とワシントン州をアメリカ合衆国のものとして獲得し、メキシコから新たに独立したテキサス州を加え、わが国の教科書が「メキシコ＝アメリカ戦争」と呼ぶ戦争を始めた。[50] だが、その戦争はわたしたちアメリカ人が始めたのだから「メキシコに対する戦争」と呼ぶほうが正確だろう。この戦争が終わったとき、メキシコは半分近い領土をしぶしぶ譲渡した。それは、現在のニューメキシコ州西部、コロラド州、カリフォルニア州、ネバダ州、ユタ州、アリゾナ州の大部分、そしてワイオミング州のほんの少しを含む、五〇万平方マイル以上もの領域だった。

本来は、スペインやメキシコ、あるいはポーク大統領よりずっと以前からそこにいた先住民たちのものであった巨大な帯状の土地が、その時代に所有権を移されたことで、アメリカ合衆国の地図は西海岸から東海岸までつづく現在の形になった。だが、メキシコに対する戦争に織り交ぜられた、ただの奇妙な揉め事、「ベア・フラッグ・リヴォルト（熊の旗の反乱）」は、壮大でも英雄的でもないものだった。それは、セントラル・バレーのサッター・ビュートの近くに住むアメリカ人入植者が起こしたもので、メキシコ人の小さな軍隊が違法の外国人――アメリカ人を追い出しに来るという噂に煽られて、早まって土地を占拠したというものだった。彼らは六月の第二週に出発し、途中で仲間を募りながら進み、六月一四日の明け方には約三〇人がソノマの広場に忍び込んだ。

（49）現在のカリフォルニア州、ネバダ州、ユタ州、アリゾナ州北部、ワイオミング州南西部を含む一帯。
（50）日本ではアメリカ＝メキシコ戦争と呼ばれることが多い。米墨戦争とも。

そこで違法の外国人らはバエホの自宅を襲撃して、彼を人質にした。ある者はバックスキンのズボンを穿き、ある者はコヨーテの毛皮の帽子をかぶり、ある者は靴を履いていなかった。ある記録は彼らのことを、「馬泥棒、密猟者、逃亡船員が集まった盗賊団」と描写した。バエホは教養がある人物であり、農業経営者であり、不承不承ながら知事を担っており、アメリカ合衆国に統合されるのを嫌がっていたわけではなかった。しかし、囚人や二流市民になりたいとは思っていなかった。そもそも問題を引き起こしたのは、彼の開かれた入国管理政策だった。襲撃したアメリカ人たちは熊の旗を掲げたのだが、あまりにも下手くそな絵だったので一部のメキシコ人はそれが豚だと思ったくらいだ。グリズリーの亜種は八〇年以上前に絶滅したのだが、ましなバージョンの熊の絵がカリフォルニアの旗に残っている。皮肉なことは山ほどある。

ジョン・チャールズ・フレモント大佐は偵察者や軍人の一団と一緒にカリフォルニアに不法侵入し、反乱を煽動してそれに加わり、馬を盗み、物資を略奪し、ほとんどやりたい放題だった。六月二八日の朝、ある記録によれば、デ・ハロ兄弟の伯父がソノマにいる息子を訪ねるために、兄弟で〔伯父を乗せた〕船を漕いでいるとき、フレモントと彼の主任偵察者のキット・カーソンはサン・ラファエルの海岸近くにいた。カーソンはフレモントに、これらの名もなきカリフォルニオにどう対処するべきか尋ねた。そこにいたジャスパー・オファレルの話では、フレモントは手をはらうようにして「囚人を捕らえている余裕はない」と言った。そこでカーソンは五〇ヤード離れたところから三人を銃で撃った。ある歴史書には「〔兄弟の一人である〕ラモンは岸に着くなり殺された。それにつづいてフランシスコはラモンの体の上に覆いかぶさった。その直後に命令する声が轟いた。「もうひとりのクソッタレを殺せ！」そして、その命令は即座に遂行された」。伯父が兄弟の殺された理由を尋ねるや、すぐに彼も撃たれた。ベレイエッサの息子、アントニオは、その後、父のセラーペを着ているアメリカ人に遭遇した（死体は衣服を奪われ、そのままそこに放置されていた）。父の服を返すよう男に命じてくれとフレモントに頼んだが、フレモントは拒否し、アントニオ・ベレイエッサは服を取り戻すために泥棒に二五ドルを支払った。

息子は苦々しい思いを抱いたまま残りの生涯を送った。双子の父は心痛がもとで死んだと言われている。カリフォルニアはアメリカ合衆国の一部になった。その前に北のクラマス部族の大殺戮に参加したカーソンは、のちにモハーヴェ砂漠に住むインディアンを殺し、ナバホ族とメスカレロ・アパッチ族が故郷から追放されるのに重大な役割を果たした。その後、彼は西部開拓地の英雄として人気者になり、創作が混じった絶賛調の多くの本に登場する人物になった。フレモントの名声も上がった。一八五六年には新たに結成された共和党の大統領候補にもなった。彼は奴隷制度反対の政策を掲げたが、ベレイエッサとデ・ハロ兄弟の殺人命令を含む古いスキャンダルが浮上した。サンフランシスコの測量士であるジャスパー・オファレルが、殺人事件の唯一の直接の目撃者としてフレモントの不利になる証言をしたので、フレモントはカリフォルニア州の選挙で勝つことができなかった。戦後には、さらに多くのベレイエッサ家の男たちがアメリカ人に殺され、家族はベイエリアで所有していた土地の大部分を失った。メキシコ＝アメリカ戦争のあとに砂の上に引かれた線を越えた者を含めて、歴史が言及しそこなっている遥かに多くの死がある。これは、国境と肌の色についての正義がどれほど気ままなものかを思い出させてくれる。

一七〇年以上前にカリフォルニアで起こったことは、あのときに作られた国境でいま起きていることのすべてに連なっている。多くのラテン系アメリカ人にとっては「我々が国境を越えたのではない。国境のほうが我々を越えたのだ」という話なのに、現在のアメリカで、しばしば、まるで彼らのほうが侵入者のように扱われていることもそうだ。これらの歴史上の人物たちには、モニュメントもある。サンフランシスコの北東にはフレモントとバレホという名の、けっして交差しない道がある。ポークという道[51]は、ラーキンという道と平行し、西のほうでオファレル・ストリートと交差する。デ・ハロ通りは市の南にあり、殺された双子の父親にちなんだポトレロ・ヒルと交差する。父親は市の最初の市長でもあった。ベレイエッサは、もっとあとの時代に作られた人工の湖である。カーソンは、シエラネバダ山脈にある山道であり、ロサンゼルスの近郊であり、ラスベガスの公立学校であり、サンタ・フェにある記念碑でもある。彼の指揮官だったフレモントは、イーストベイにある市であり、わたしの父が卒業したロサンゼルスのサウス・セントラルにある高校だ。だが、こうした名は、カリフォルニアがアメリカに組み入れられたときの異様で血みどろな手段を知らない者には、何も語りかけてこない。

---

(51) かつては家出した若者が売春婦や男娼になることで悪名高かった通り。

生まれ故郷のジェントリフィケーション[52]に殺された男

――アレックス・ニエトの殺害と、殺伐としつつあるサンフランシスコ

Death by Gentrification: The Killing of Alex Nieto and the Savaging of San Francisco (2016)

生きていたら三〇歳の誕生日であったはずのその日、アレハンドロ(アレックス)・ニエトの両親は、息子の剖検の写真が陪審員に見せられる寸前に、満席のサンフランシスコ法廷を後にした。一四の銃弾が人の頭と身体を貫通するとどのような状態になるのかを、その写真は示していた。アレックスの両親のレフジオとエルヴィラは、息子の不法死亡を訴える民事訴訟が審理されている連邦庁舎で、その日の残りのほとんどを、窓がない廊下にあるベンチに座って過ごした。

アレックス・ニエトが生まれたときからずっと住んでいた地域で殺されたとき、彼は二八歳だった。サンフランシスコ市警察の四人の警官による一斉射撃で死んだのだ。彼の死に関して(食い違う証言が多いなかで)全員の意見が一致していることがある。それは、「二〇一四年三月二一日の午後

(52) 高級化の意。富裕層に向けた地域の再開発を指して用いられる。

七時過ぎにある者が警察に通報したとき、ナイトクラブの認定警備員をしているニエトは、仕事のためのテーザー銃[53]を身につけ、丘の頂上にある公園でブリート[54]とトルティーヤ・チップスを食べていた」という部分だ。警察官によると、数分後に彼らがそこにかけつけたとき、ニエトは反抗的に彼らにテーザー銃を向けた。彼らは赤いレーザー光線を銃のレーザー照準器と間違え、自己防衛のためにニエトを撃ったと主張した。しかし、四人の警察官の話や証拠の数々には食い違いがあり、彼らの話の一部にいたってはまったく信じがたいものだった。

ベルナル・ハイツの公園の緑の頂上を囲む曲がり道には、ニエトを弔う非公式の記念碑がある。犬を散歩させている人、ジョギングをしている人、散歩をしている人が、バナー(横断幕)を読むために立ち止まる。バナーは、いくつかの石を使って丘の斜面に固定されており、生花や造花に取り囲まれている。アレックスの父親のレフジオは、いまでも一日に一度は必ずベルナルの丘の南側にある小さなアパートから坂を上って記念碑を訪れる。アレックス・ニエトは子どもの頃からずっと、この丘の頂上をよく訪れていた。(民事訴訟が行なわれた)二〇一六年三月三日の夕方、彼の両親は暗闇の中を友人や支持者と一緒に記念碑にバースデーケーキを届けに行った。

レフジオとエルヴィラは、凛としていて、謙虚な人たちだ。背筋をぴんと伸ばしているものの心労でやつれ果てており、優雅なスペイン語を話すが英語はほとんど話さない。メキシコ中央部にあるグアナファト州の小さな町で貧しかった子どもの頃に知り合った二人は、一九七〇年代に別々にベイエリアに移住した。二人はそこで再び出会い、一九八四年に結婚し、そのときからずっとベルナルの丘の南の斜面にある同じ建物に住んでいる。エルヴィラはサンフランシスコのダウンタウンにあるホテルの数々で客室係として何十年も働き、現在は引退している。レフジオも副業はしたが、主にアレックスと弟のヘクターの世話をした専業主夫だった。

法廷では、光沢がある黒髪を後ろに丁寧になでつけた、ハンサムで陰鬱な表情のヘクターが、兄を殺した白人の警察官三人とアジア系警察官一人からそう離れていない場所に座っていた。彼は、たいていの日は両親と一緒だった。この裁判が行なわれたことそのものが、ある意味、勝利だった。サンフランシスコ市は剖検報告書やニエトを撃った警察官の名前を家族や支援者に公開することを拒み、鍵となる目撃者が警察への恐れを乗り越えて名乗りをあげるまでに何か月もかかった。

ニエトが死んだ理由は、一連の白人男性たちが、彼のことを脅威を与える「侵入者」と見なしたからだ。その土地は、彼が生涯を過ごした故郷だったというのに。何人かの白人男性は、ニエトが赤いジャケットを着ていたのでギャングのメンバーだと思ったのだ。サンフランシスコのラテン系の男性は、未成年者も大人も、赤と青を着ないようにする。ラテン系の二つのギャング、「ノルテーニョス(赤)」と「サレーニョス(青)」の色だからだ。だが、サンフランシスコのプロ・フットボールチーム「フォーティナイナーズ」のチームカラーは赤と黄色だ。そして、フォーティナイナーズのジャケットをサンフランシスコで着るのは、ニューオリンズでセインツのジャージーを着たり、ニューヨークでヤンキースの野球帽を被ったりするように、ふつうのことなのだ。警察官に撃たれ

---

(53) 遠距離から撃てるスタンガンの一種。
(54) ブリトーとも。トウモロコシ粉や小麦粉で作るトルティーヤで具を巻いたメキシコ料理。

た夕方、黒くて太い眉毛ときちんと刈りこんだ顎鬚のニエトは、白いTシャツの上に新しそうなフォーティナイナーズのジャケットを着て、フォーティナイナーズの帽子を被り、黒いズボンを穿き、ジャケットの下にテーザー銃を入れたホルスターつきのベルトを締めていた（テーザー銃は、電気ショックを与えるワイヤーを放って、ターゲットにした者を一時的に麻痺させる。おおまかには銃のような形態だが、それより丸っこい。ニエトのテーザー銃の表面の大部分と、一五フィートの標的範囲があるカートリッジは、〔本物の銃にはない〕明るい黄色だった）。

ニエトは、二〇〇七年に州から警備員の認定を受けて以来、ずっとこの業界で働いてきた。一度として逮捕されたことがなく、警察にも何の違反の記録もない。ラテン系の子どもたちが公の場でつるんでいるだけで警察に勾留されることがあるこの地域では、これは見事な達成なのだ。彼は仏教徒で、「仏教を信仰するラテン系移民の息子」というのは、かつてサンフランシスコのお家芸であったハイブリッドの一例だ。一〇代の頃、ニエトはベルナル・ハイツの近隣センターで、五年近くユース・カウンセラーとして子どもを指導した。彼は、社交的で、共同体意識があり、政治キャンペーンやストリート・フェアやコミュニティのイベントにもよく参加した。

ニエトはコミュニティ・カレッジで刑事司法に焦点を置いて学び、卒業し、保護観察官として若者を援助することを夢見た。彼と仲良くなった元保護観察官のカルロス・ゴンザレスによると、亡くなる少し前にはサンフランシスコ市の少年保護観察課でインターンをしていた。ニエトはこの市で刑事司法がどのように機能しているのかよく知っていたとゴンザレスは言う。致命的な行為になりかねないとよく承知していたはずなのに、なぜニエトは銃の形をした物を警官に向けたのか？

これについて説得力がある動機を提供した者は誰もいない。

ニエトの死後、彼の人格の抹殺も始まった。レイプの被害者のように、起こったことは彼のせいだと責められた。事件とは無関係の好ましくない彼の過去が掘り返され、報道された。彼の死の直後、警察と検死局が彼の医療記録を徹底的に調べ上げ、何年か前に彼が困難な時期を過ごしたことを発見した。彼らは、このできごとの説明として、ニエトが精神を病んでいたという大げさなストーリーを仕立て上げた。その説明はこのようになる。なぜ警官はニエトを撃ったのか？　なぜなら、ニエトがテーザー銃を警官に向けたからであり、警官はそれを拳銃と思ったからだ。なぜニエトはテーザー銃を警官に向けたのか？　なぜなら、ニエトは精神的に病んでいたからだ。彼が精神的に病んでいたという証拠は何か？　ニエトがテーザー銃を警官に向けたことだ。これは、サンフランシスコ市警察の偉大さが信頼できてはじめて通じる循環論法である。

ニエトはエルトロというナイトクラブの警備員の仕事でテーザー銃を所有していた。そのナイトクラブのオーナーであるホルへ・デル・リオは、ニエトのことを穏やかで温厚な人物だったと語り、彼のことが好きで、信頼し、尊敬し、いまでもよく思い出すと言った。「彼は、とても、とても穏やかな男だった。だから、彼がテーザー銃を警官に向けたと聞いて、とても驚いた。彼が誰かに攻撃的になったところなど見たことがない。いつも誰かを助けたいと思っている人物だった。〔警察が〕ニエトについて言っていることは信じられない」と語った。ニエトがどれほど温厚だったか、一触即発の状況をなだめることにどれほど優れていたのかを、デル・リオはわたしに語ってくれた。スペイン語を話す常連がいる荒くれたダンスクラブからニエトに連れ出されて、「今夜は、あなたにとってあんまり良い雰囲気じゃないから」と家に送り帰された酔っぱらいの男たちは、ニエトに好かれていて、尊敬されていると感じた。

警察は、最初からアレックス・ニエトのメンタルヘルスの記録が自分たちの容疑をなんとかして晴らしてくれることを望んでいた。ニエトが精神的に病んでいたという正当化が広められ、警察を無罪にすることに決めた地元の新聞がそれを報じるようになった。だが、両親が起こした民事訴訟では、それは証拠として認められないと裁判官が判定した。その医療記録によると、アレックス・ニエトは何らかの精神的な衰弱状態になり、事件の三年前に治療を受けた。すべての記録は二〇一一年のものであり、精神病や妄想型統合失調症といったあらゆる医療用語が飛び交ったが、とくに大きな処置やそれに引きつづく症状は記されていないようだった。精神疾患が事件に関連しているという仮定だと、ニエトが二〇一四年三月に精神的に病んでいたと決めつけるだけでなく、ニエトが警官にテーザー銃を向けたのは精神疾患が原因だとみなすことになる。だが、彼が警官にテーザー銃を向けたことを信じないとしたら、精神疾患はそこで起こったことを説明する手がかりにはならない。彼はテーザー銃を本当に警官に向けたのか？　直接の関係者である警官以外の唯一の目撃者によると、ニエトはテーザー銃を向けてはいない。

これはニエト家が家族ぐるみで仲良くしていた人から聞いた裏話だ。失恋で絶望していたアレックスが、ある日メロドラマチックになって、家族四人が暮らしていた小さなアパートで別れた恋人からのラブレターを焼いて癇癪を起こしていた。困り果てた家族が、市の相談ホットラインに電話し、この状態を落ち着かせるために助けを求めた。ところが、事態は落ち着くどころか逆になってしまった。アレックスは捕らえられ、彼の意思に反して施設に収容されてしまったのだ。ラブレターを燃やしたことが、記録では本、そして家を燃やそうとしたことになっている。スペイン語から英語に翻訳される間に、どこかが間違ってしまった可能性がある。

それは二〇一一年初頭の頃のことで、同じ年の後半に別の出来事があった。だが、二〇一二年、二〇一三年、彼が亡くなるまでの二〇一四年の間、アレックス・ニエトはずっと穏やかで、論理的で、他人と関わるときには類稀（たぐいまれ）な博愛精神や寛容さを見せる、ちゃんとした若者だったようだ。たとえ二〇一一年に起こったことが精神病に分類されるものであったとしても、ナイトクラブの仕事での混沌とした状況で何年も平穏でいた彼が、死んだ夜に突如として病を再発させたと信じる理由はまったくない。それに、警官と遭遇する直前に自分を攻撃してきた者に対して我慢強く対応したのである。

◆

リンクトイン（LinkedIn）[55]のプロフィールによると「利用者体験（ユーザーエクスペリエンス）デザイン専門家」である三〇代のエヴァン・スノウは、六か月前にこの地域に引っ越してきた（そして、この後、近郊のほうに移っていった）。二〇一四年三月二一日の夕方、スノウはベルナルの丘に若いシベリアンハスキーを散歩に連れ出した。スノウが公園を後にしかけていたとき、ニエトはチップスを食べながら、環状

（55）ビジネス特化型のSNS。

の公園の道につづく舗装されていない細い小道を上ってきたところだった。裁判に先立つ宣誓供述で、スノウはニエトが着ていた服がギャングのメンバーのものだという知識があったので、「ニエトを自分が関わりあいにならない人のカテゴリに入れた」と言った。

だが、スノウの犬はニエトを「食べ物を運んでいる人」のカテゴリに入れて追いかけ始めた。その後に起こったことを説明する三回の供述のいずれでも、スノウは手に負えない自分の犬が「攻撃者」だったことをまったく認識していない様子だった。「それで、ルナは、私が思うに、ベンチを回るか私の背後に行って、ニエト氏に喜び勇んで駆け寄ってチップスをもらおうとしたんです。ニエト氏は、さらに……、正しい表現は何でしたっけ？　さらに動揺して、左右に素早く動いて、ルナからチップスを遠ざけようとしました。彼はベンチのほうに駆け下りていって、その上に飛び乗り、私の犬は彼を追いかけていきました。この時点でルナは声を上げていました。吠えるというか、遠吠えするような感じで」。この犬は、放任主義の飼い主が四〇フィート離れたところにいる間に、ニエトをベンチの上に追い詰めていたのだ。宣誓の上でのスノウの供述そのものから引用すると、彼は「ジョガー（ジョギングする人）のケツ」を持った女性に気をとられていたというのだ。スノウは、「この時点で、犬が攻撃的だとみなす、というか、そう思い込む人がいるかもしれない、というのは想像できます」と言った。スノウが呼んでも犬は戻ってこず、吠えつづけた。

スノウによると、ニエトはそこでジャケットの前をはだけてテーザー銃を取り出し、一瞬の間、離れたところにいる犬の飼い主に武器を向けてから足元で吠えている犬に向けた。二人の男は互いに怒鳴り合い、スノウはどうやら人種差別的な侮蔑の言葉を使ったようだが、供述ではその正確な言葉を教えなかった。公園を離れたとき、スノウはこの出来事について友だちにテキストメッセージを送った。彼の証言によれば、このメッセージには「フロリダのような別の州だったら、あの夜、私がニエト氏を銃で撃っても正当化されたことだろう」といったことが書いてあった。スノウが示唆しているのは、フロリダ州の悪名高い「スタンド・ユア・グラウンド法」のことだ。自己防衛では暴力を使う前に撤退を試みる義務があるのだが、その義務を取り除いたのがこの法だ。言い換えれば、二〇一二年にジョージ・ジマーマンがトレイボン・マーティンにしたこと[56]をスノウもやりたかったと言っていることになる。つまり、自分へのお咎めなしで処刑するということだ。

そのすぐ後、犬を連れたカップルがニエトの脇を通り過ぎた。最近この地域に移ってきたティム・イズギットは、テック[57]業界のビリオネアが設立した非営利団体のコミュニケーション・ディレクターで、現在はマーティン郡の近郊に住んでいる。彼の伴侶のジャスティン・フリッツは自称「電子メールマーケティング・マネジャー」で、この時点でサンフランシスコに約一年住んでいた。カップルの一人がソーシャルメディアに載せている写真では、彼らは身だしなみが良い栗色の髪の白人男性で、スプリンガースパニエルと年寄りのブルドッグと一緒にポーズを取っている。ニエト

(56) 二〇一二年二月二六日、武器を持っておらず何もしていない黒人の若者、トレイボン・マーティンが、ただ怪しく見えるというだけで、自警団員のジョージ・ジマーマンに銃により殺害された事件。トレイボン・マーティン射殺事件とも。

(57) テクノロジーの略で、とくに新興情報技術分野を指して用いられる。

と距離をもってすれ違ったとき、彼らはこれら二匹の犬を連れて散歩していた。

フリッツはとくに変わったことには気づかなかったが、イズギットはニエトがホルスターに入っているテーザー銃に手を当てて「そわそわした様子で」動き回っているのを見た。スノウはすでに立ち去っていたので、ニエトが不愉快なやり取りをしたばかりであり、気持ちが動転しているのにはちゃんとした理由があることをイズギットはまったく知らなかった。そこで、イズギットは道で出会う人に、そのあたりを避けるように伝え始めた。(イズギットとフリッツの少し後でニエトを見たある目撃者は、ベルナル・ハイツの長年の住民であるロビン・ブラードだった。公園で自分の犬を連れて散歩していたブラードは、ニエトに警戒しなければならないような様子はまったくなかったと証言した。「彼はただそこに座っていただけだ」とブラードは言った。)

フリッツは裁判のとき、ニエトが危ないと感じることは何もなかったと証言した。彼が九一一[58]に電話したのは、イズギットがそうするよう促したからだった。午後七時一一分、フリッツは緊急通報の通信指令係と話し始め、黒い拳銃を持った男がいると伝えた。通信指令係が「黒人か、ヒスパニック系か?」と尋ねたので、フリッツは「ヒスパニック系」と答えた。後で通信指令係が、「その男が何か暴力的なことをしているか?」と尋ねたとき、フリッツは「ただ歩き回っているだけ。チップスかひまわりの種を食べているように見えるが、銃の上で手を休めているような感じだ」と答えた。このときアレックス・ニエトに残されていた寿命は、あと五分ほどだった。

◆

サンフランシスコは、すべての都市がそうであるように、人口動態と産業が固定することはけっしてなく、つねに変化している場所だ。新参者が少しずつ加わるときには、彼らは現存の住民に溶け込み、変化に貢献する。だが、一九世紀のゴールドラッシュ以降、一九九〇年代後半のドットコムバブル[59]や現在のテック津波のような経済ブームで新参者が洪水のようにやってくるときには、そこに以前からあったものを洗い流してしまう。二〇一二年には、テック・ワーカーの流入は「よどみない流れ」から「大氾濫」になり、この地域に深く根を下ろしていた書店、教会、社会奉仕団体、あらゆる類の非営利団体、ゲイ・バーとレズビアン・バー、小企業などの組織や人びとが追い出されていった。九〇代を含む高齢者、教師、労働者階級の家族、身体障がい者もそうだ。新しい賃借人から家賃をもっと搾り取れるとみなされた場合、ほぼ全員が追い立てられた。

サンフランシスコは、ある者にとっては理想主義を乗り越える場所であり、ある者にとっては理想を実現するために留まる地であった。社会正義のために働いたり、障がい者に教えたり、詩を書いたり、代替療法を施したりする場所であった。そして、自己よりも大きな何か(企業ではない)の一部になることであり、お金よりもっと大きな意義のために生きる場所だった。けれども、家賃や持ち家の価格が高騰するにつれ、それがどんどん不可能になっていった。古くからの住民たちが失うことを恐れていたのは、多くの新参者が認識できないことだった。テック・カルチャーは、大小

(58) 日本の一一〇番に相当する緊急通報。
(59) 一九九〇年代後半から二〇〇〇年代はじめにかけて起きた、インターネット関連企業の株価高騰。

さまざまな意味で、断絶と引きこもりの文化のようである。

テック・カルチャーは、非常に「白人、男性、若者」文化だ。たとえば、二〇一四年のシリコンバレーのグーグルの雇用者のうち、黒人は二%、ラテン系は三%、男性は七〇%だった。グーグルバスと呼ばれる高級なシャトルバスは、こういったグーグル社員がサンフランシスコに住んで本社に通勤するのを便利にした。フェイスブック(Facebook)、アップル(Apple)、ヤフー(Yahoo!)、その他の大企業も同じようにシャトルバスを使った。サンフランシスコに本社を持つエアビーアンドビー(Airbnb)[60]は、世界中の地方や都市部にある長期的な住宅資源を、一時的な短期滞在スペースに変える手段になった。ウーバー(Uber)[61]もここを本拠地としているのだが、従業員が生活できる賃金を支払ってきたタクシー会社を衰退させようとしている。この地に社があるもうひとつのテック企業であるツイッター(Twitter)は、積極的に発言するフェミニストにレイプや殺害の脅しをするためのきわめて効果的なツールになった。かつて、多くの人にとってユートピアであったサンフランシスコは、新しいディストピアの中枢になった。

テック企業は、マルチミリオネアやビリオネアのレベルの大富豪を生み出し、彼らは自分の影響力を使って地方政治を歪め、残りの人口を犠牲にして、新しい産業と自分たちの従業員のためになる政策を推し進めた。この市の周辺にあふれかえっている金の一銭たりとも、二〇一三年に閉鎖したホームレスの若者のためのセンターを救う使途には流れてこなかった。黒人が所有するものとしては全米最古で、黒人読者に焦点を絞った書店も、二〇一四年に閉店した[62]。サンフランシスコで最後のレズビアン・バーも二〇一五年に店を閉じ、ラテン系のドラァグクイーンとトランスジェンダーのバーもその前年に閉店した。ニエトの裁判が進行している間、サンフランシスコ的にユニークな聖ジョン・コルトレーン・アフリカ正教会も、一九九〇年代後半のドットコムバブル時代に以前の場所を追い立てられて引っ越してきた場所から、再び立ち退きを迫られていた。この春には、市のダウンタウンで一九八二年に誕生し、サンフランシスコの理想主義と利他主義のもっとも偉大な旗艦であった〔自然保護団体の〕シエラクラブが、もっと安く借りられる場所を探して市を去った。そのほかの非営利団体や社会奉仕団体、文化センターやスピリチュアル・センターも追い出されていった。反感が高じた。そして、文化が衝突した。

二〇一四年三月二一日午後七時一二分、フリッツと話をした警察の通信指令係は警官を呼び出した。危険になりかねない状況を鎮める標準的対応として警官の一部が包囲網を作り始めた。だが、パトカー一台が包囲網を突破して対立を作り出した。そのパトカーに乗っていたのは、ジェイソン・ソイヤー警部補と、この仕事に就いてから三か月も経っていない新人のリチャード・シフ巡査だった。二人は、通信指令係からの連絡を受けてベルナル・ハイツ公園に向かい、最初はパトカーで南側から入ろうとした。アレックスの両親が住んでいる側だ。その後、Uターンし、車の侵入を妨げるための柵を避けてまわって北側から入った。そして、この時間帯にはジョギングやウォーキ

(60) 民泊を仲介するウェブサイト。
(61) 自動車配車ウェブサイトおよびアプリ。
(62) マーカス・ブックス。立ち退きにより二〇一四年に閉店したが、二〇一七年に移転して再開。

ングや犬の散歩をする人でいっぱいの道を上っていった。警官らは、車のヘッドライトもつけず、サイレンも鳴らさずにスピードを上げて車を走らせた。彼らは連携の計画も立てず、緊急事態に向かっているわけではないのに、同僚の警察官や包囲網を通り抜けて突進していったのだ。

緊急通報の通信指令係とフリッツが交わした会話によると、午後七時一七分四〇秒、アレックス・ニエトは坂を下って曲がり角に差し掛かったところだった。午後七時一八分〇八秒、公園にはいたが、その現場にはいなかった別の警官が無線で「赤いシャツの男がそっちに向かっているのを見つけた」と報じた。シフ巡査が法廷で「赤は、ギャングに関係しているかもしれない。赤はノルテーニョスの色だ」と証言した。シフの証言では、彼は九〇フィート離れたところから「両手を見せろ」と叫び、ニエトは「お断りだ。そっちの両手を見せろ」と返してテーザー銃を抜き出し、武器を両手で持って警官に向け、戦う姿勢を取った。警官は、テーザー銃が赤いライトを放っていたと主張した。彼らはそれが拳銃のレーザー照準器と思い込み、生命の危険にさらされていると恐れた。

午後七時一八分四三秒、シフとソイヤーは、四〇口径の弾丸でニエトを一斉射撃し始めた。

午後七時一八分五五秒、シフは「レッド」と叫んだ。銃弾を使い果たしたことを意味する警察の暗語だ。ニエトを撃って、挿弾子[63]を空にしたのだ。彼は再び装填し、また銃を撃ち始め、最終的に二三もの弾丸を放った。ソイヤー警部補も勢いよく連射し、二〇の弾丸を放った。二人の警官の射程はいい加減だったようだ。なぜなら、ユーカリの林の陰に避難していたフリッツが「助けて！助けて！」と叫び、警官が放った弾丸が「私の頭上の木に当たってあたりの物を壊し、私のほうにも飛んできている」と言っているのが、緊急通報の通信指令係との会話の録音に残っているからだ。

ソイヤーはこう言った。「いったん〔ニエトからの〕反応がないと気づいてから、まあ、彼が撃たれてからはまったく何の反応もなかったのだけれど、自分の照準器を取り出して、彼の頭を狙った」。ニエトは唇のすぐ上を撃たれ、弾丸は彼の右の上顎と歯を粉々にした。別の弾丸は彼が立っているときに右下腿の両方の骨を通過した。警官らは、ニエトがずっと彼らの正面を向いていたと証言したが、弾丸はニエトが横を向いていたかのように横から貫通していた。これほどの苦痛を伴う大怪我を負っているときに、ニエトが何の役にも立たない機械で警察官を威嚇するふりをすることに集中しつづけていたというのは、信じがたい話だ。

そこに、ロジャー・モースとネイト・チューという二人の警官がパトカーで現れ、最初のパトカーの横に駐車した。車から出てきた二人は、自分たちの銃を取り出した。彼らが追っている者をどうなだめるのか、凶暴だとしたら生きたまま捕獲するのか、その計画も、コミュニケーションも、戦略も、何ひとつなかった。人が多い公園でそこに居合わせた人が流れ弾にあう可能性もある危険な対立を避ける試みすらしなかったのだ。モースは、ニエトがまだ立っていたと法廷で証言した。「私が到着したとき、銃口からの閃光と思われるものを見た。私は彼に的を絞って撃ち始めた」と。だが、テーザー銃は銃口からの閃光に似た光など出さない。チューは、パートナーの説明とは対照的に、彼らが到着したときにはニエトはすでに地面に倒れていたと証言した。彼は、地面に倒れて

(63) クリップ。複数の弾薬を装填するための器具。

いた男に向かって五つの弾丸を撃った。「容疑者の頭が舗装路に倒れたのを見たとき」に彼は撃つのを止めたとチューは法廷で証言した。

地面に倒れている間にもニエトはさらに銃で撃たれた。市の剖検報告によると、少なくとも一四発だ。警官が撃った弾丸のうちターゲットに当たったのはたった四分の一だった。人が多い公園で、春が始まる春分の日の夕方に、警官たちは五九もの弾丸を放ったのだ。彼らは、殺すために、過剰な殺戮のために、射撃したのだ。ひとつの弾丸はアレックス・ニエトの左のこめかみから入り、首に向かって頭の中を引き裂いていった。いくつかの弾は彼の背中、胸、肩に当たった。一弾は背中のくぼみから入って脊髄を切断した。

午後七時一九分二〇秒、すべてが始まって二分も経っていないそのとき、警官らはニエトに近づいた。最初にそこに到着したのはモースだった。彼は、ニエトの両目は開いており、喘ぎ声を上げ、喉をゴロゴロ鳴らしていたと言う。モースは死にかけている男の手からテーザー銃を蹴って放したと言う。シフは、「彼に手錠をかけ、うつ伏せにし、「警部補、まだ脈があります」と言いました」と語った。救急車が到着したときにはアレハンドロ・ニエトは死亡していた。

ニエトの葬儀は、彼が子どもの頃に母親が連れて行ったベルナル・ハイツにある小さな教会で二〇一四年四月一日に満席のもとで行なわれた。わたしは、友人のエイドリアナ・カマレーナと一緒に参列した。エイドリアナはメキシコ市出身の地域に貢献する弁護士で、現在はミッション地区に住んでいる。そこは、ベルナルの北の側面にある地域で、一九六〇年代からラテン系文化の中心地になっている。彼女は少しだがアレックスに会ったことがある。わたしは会ったことはない。わたしたちが座っていた近くには、息子たちを警察官に殺されたアフリカ系アメリカ人の母親三人組がいた。彼女たちは、同じような犠牲者の葬儀にいつも参列しているのだという。葬儀の後、エイドリアナは、ニエトの両親であるレフジオとエルヴィラと懇意になった。彼らにとって、息子は英語を話す社会への外交官だったのだ。エイドリアナは、そんな彼らの悲しみやニーズに引き込まれてゆき、夫妻の通訳、アドボケイト(代弁者・支援者)、助言者、友人として手助けするようになった。サンフランシスコのコミュニティ・カレッジで創作文を教えている、元海兵隊員で小説家のベンジャミン・バク＝シエラは、アレックスの献身的な友であり、メンターでもあった。ベンジャミンとエイドリアナは、ニエトの殺害事件に対応するためにコミュニティで組織を作った。

わたしは、この市を引き裂いているのは、古くからの賃借人、裕福な新参者、家主、不動産業者、ハウスフリッパー[64]、そして全員を追い出して部屋の空きを作ろうとする住宅開発業者の間の対立なのだと思っていた。だが、ニエトが死んだその春、それだけではないと思い始めた。市を引き裂いているのは、サンフランシスコ市についての異なる二つのビジョンの対立なのだ。

葬儀でわたしが強く感じたのは、真のコミュニティの活力だった。そのコミュニティとは、記憶、儀式、習慣、思いやり、愛情が織りなすタペストリーとしての地域を体験した人びとである。お金や所有権とはまったく関係なく、人間関係が尺度のすべてである場所なのだ。エイドリアナとわたしは、座っていた場所から振り返ってオスカー・サリナスと会った。ミッション地区で生まれ育っ

(64) 家を安く買って改築して高く売りつける業者。

た大男だ。このコミュニティの誰かが傷ついたときには、ミッションは一致団結するのだとオスカーは語った。「私たちは互いに助けあうのです」と。彼にとって、ミッション〔という地名〕はラテン系のアイデンティティと一連の価値観やお互いへのコミットメントを共有する人びとであり、共有する場所によってひとつに団結するコミュニティを意味する。それは、多くの人が共有する美しいビジョンだった。

人びとが保持しようとしていたコミュニティの感覚は、お金では買えないものだった。所有する不動産や借りている家という意味の「家」だけなく、地域全体としての「家」という感覚であり、その家の中に隣人たちが存在するというものだ。ラテン系住民だけの宝ではない。サンフランシスコの住民である白人、黒人、アジア人、アメリカ先住民は、この地の人びとや組織や伝統や特別な場所と、長年にわたって関係を保ってきたのだ。〔革新的なイノヴェーションへと導く〕「ディスラプション(破壊)」は新しいテック経済がお気に入りの単語だが、古くからの住民は、自分たちの家やコミュニティや伝統や人間関係が「破壊」されるのを見てきた。家賃が高くなりすぎて払えなくなったり、追い出されたりした多くの人びとは、教師、看護師、カウンセラー、ソーシャルワーカー、大工、機械工、ボランティア、活動家といったコミュニティをひとつにつなぎ留める人たちだった。たとえば、ギャング団に加わった子どもたちに働きかけてきた人が追い出されたとき、その子どもたちも見捨てられてしまった。社会を織りなす布がバラバラになるまでに引き抜ける糸の数には限度がある。

葬儀の二か月前、不動産ウェブサイトのレッドフィン(Redfin)が、「カリフォルニア州の八三%、サンフランシスコ市の一〇〇%の住居は、教師の給料では手が届かない」と結論づけた。もっとも注目を集めた立ち退き事例のひとつは、グーグルの弁護士が、教師たちが長年住んでいたミッション地区の集合住宅を強制退去させ、自分が住むために一軒の大邸宅に改築しようとしたものだ。きわめて重要な役割を果たす労働者たちがそこに住むことができなくなったら、その地域はどうなってしまうのか。立ち退きは、死をもたらすことがある。とくに高齢者にとっては。ニエトが死んでから数年の間に、多くの高齢者が立ち退きの最中や直後に亡くなった。ほとんどの人は九〇代で、長年の住処(すみか)からの強制退去と闘っている間に一〇〇歳になった者も何人かいる。最近報告された調査では、サンフランシスコ市のホームレスの七一%は、かつてここに住居を持っていた人たちだ。家を失うことで数々の健康問題を引き起こしやすくなり、それらが死をもたらすこともある。ジェントリフィケーションは致命的なのだ。

強制退去は、非白人が住む地区に白人の新参者を流入させることになり、それがときに最悪の結果をもたらす。オークランドでは、最近になって住み着いた白人たちが、「〔とくに黒人とヒスパニック系の〕有色人種が歩いていたり、車を運転したり、たむろしたり、あるいはただ近所に住んでいる」だけで、ときに犯罪容疑者とみなす。『イーストベイ・エクスプレス』紙はそれを報じた。ネクストドア(Nextdoor.com)[65]に「黒人がただ道を歩いていたり、車を運転していたり、玄関の扉を叩いたりしただけで容疑者のレッテルを貼る」というコメントを載せた者もいる。同じことがミッシ

(65) アメリカの地域の情報交換用ソーシャルメディア。

ョン地区でも起こっている。ネクストドアに「道の角に子どもが三人以上兵隊みたいに立っているから何度か警察に電話した」といった情報を載せる者がいるし、「ホームレスは危険な人たちだから撤去されるべきだ」とチャットしあったり、ほかの人が犯罪とみなしている警察による殺人を正当化したりしている。ニエトの死の件で明らかなのは、一連の白人の男たちが彼のことを実際よりも危険だと認識したことと、そのためにニエトが死んだということだ。

裁判が始まった二〇一六年三月一日、サンフランシスコの公立学校に通う何百人もの生徒が、ニエトの殺害に抗議して退席ストライキをした。連邦裁判所の前に、太鼓を叩く人やアステカ族の羽根がついた正装を着た踊り手やプラカードを持った人びとが集まり、大きなデモが行なわれた。バク＝シエラは裁判の間ずっと、いろいろなスーツとネクタイを着用してきたのだが、テレビ局は、その彼にインタヴューした。ポスター、バナー、Tシャツ、壁画になったニエトは、ミッションでは馴染みの顔になっていた。この事件に関する動画もいくつか作られた。デモや追悼行事も行なわれた。多くの人にとって、ニエトは警察による残虐行為の犠牲者の象徴だった。そして、ジェントリフィケーションや、強制退去の波や長年の地元の住民を凶暴な侵入者とみなす人びとによって危機にさらされている、ラテン系コミュニティの象徴であった。ニエト夫婦を思いやる人びとの多くは、毎日裁判を傍聴しに来た。法廷はいつもほとんど満席だった。

裁判というものは演劇であり、この裁判にも独自のドラマがあった。地元の警官による殺人の裁判をよく担当するオークランドのジョン・L・バリス弁護士事務所に勤務する黒人の弁護士アダンテ・ポインターは、原告であるニエトの両親のレフジオとエルヴィラの代理人を務めた。原告側の重要な証人であるアントニオ・セオドールは、殺人から数か月経ってから名乗りを上げた。セオドールはトリニダード・トバゴからの移民であり、アフロリシアスという音楽バンドのメンバーで、ベルナル地域に住んでいた。肩までの長さのきちんとしたドレッドの髪型をした優雅な男性で、法廷にはスーツ姿で現れた。彼は、事件があった道につづく舗装されていない細い小道で犬を散歩させており、一連の出来事をすべて見た。彼は、ニエトの両手はポケットに入っていたと証言した。ニエトはテーザー銃を警官に向けてはいなかった。赤いライトもついていなかった。警官らはただ「ストップ!」と叫び、その後で銃を撃ち始めた。

ポインターが、なぜもっと早く名乗りを上げなかったのか尋ねたところ、彼は「考えてみてほしい。警察官に対して、同僚の警察官が誰かを撃ったのを目撃したところだと伝えるのがどんなに困難なことか。私は警察を信用していなかった」と答えた。セオドールは、ポインターの質問に対して説得力のある証言をした。だが、翌朝、市の副法務官で、堂々とした風采で憤った雰囲気の白人女性のマーガレット・バームガートナーがセオドールに質問すると、彼はボロボロになってしまった。事件が起きたときにどこにいたのか、どこで襲撃が起こったのかについて、セオドールは先の証言と矛盾する回答をし、実は自分がアルコール依存症で記憶に問題があると告白した。自分を能なしにみせることで、セオドールは自分の安全を守ろうとしているように見えた。ポインターが再びセオドールに質問したとき、彼は「いま、ここにいたくない。脅されていると感じている」と言った。目撃者が警察に不信感を抱いたり、怯えたりするとき、正義は実現しにくい。セオドールは警察を恐れているように見えた。

何が起こったのか詳細が熱く議論されたが、しばしばそれらは矛盾していた。とくにテーザー銃についてだ。警察は、警官らが銃弾を何度身体に撃ちこんでもニエトは正面から立ちはだかり、その後、まだテーザー銃を持ったまま地面にうつ伏せて「狙撃兵の戦略的な構え」をし、赤い照準を警察に当てたと証言した。あたかもニエトが超人か、怪物じみた敵であるかのように。市の弁護士は、警察に有利な公式の証言をしてくれそうなテーザー銃の製造会社の専門家を法廷に招聘した。だが、ポインターから犯罪現場の写真を見るように言われてそれに従った専門家は、テーザー銃は「オフ」になっていたと言った。そして、これは、簡単に電源を入れたり切ったりできないし、あるいはうっかり「オン」にできるようなものではないと証言した。ニエトは銃で撃たれてその場で死亡したのだが、銃で乱射されている最中に小さな「オン／オフ」のスイッチを忙しく切り替えていたというのだろうか。テーザー銃がオンになっていないと赤いライトは点灯しない。モース警官は、倒れたニエトに近づいて彼が手にしていたテーザー銃を蹴って放したときには赤いライトも点いておらず、ワイヤーもついていなかったと証言した。だが、警官が撮影した現場の写真にはテーザー銃のワイヤーがはっきり見えていた。

テーザー銃の専門家は、テーザー銃の内部記録によると引き金は三回引かれたと法廷で証言した。テーザー銃の内部の時計は、これらの引き金が引かれたのは、ニエトがすでに死んでいた三月二二日だと記録している。専門家の証人によると、テーザー銃はグリニッジ標準時に設定されており、それを現場の時間に計算し直すと、引き金が引かれたのは、ニエトが死んだ日の午後七時一四分だった。七時一八分まで警察はニエトと接触していない。そこで、テーザー銃の専門家は「時計の横滑り」という新しい仮説を作った。この仮説を使うと、テーザー銃はオンになっており、警官が銃を撃ったときには、彼らの見解どおりの時間にニエトが引き金を引いていたことになる。しかし、たとえ引き金が引かれたとしても、ニエトが警官にテーザー銃を向けていたという証拠はない。テーザー銃の引き金を引くと、紙吹雪のような標識タグが放出される。だが、犯罪現場にはどこにもそれはなかった。テーザー銃の会社は、この後、サンフランシスコ市警察と二〇〇万ドルの契約を交渉した。

証拠の一つは、ニエトのジャケットのポケットから発見された骨の破片だった。一部の者は、セオドールが言ったように、ニエトの両手がポケットの中に入っていたことを示すと考えた。だが、スキャンダルだらけの市の検死官、エイミー・ハート医師は、三月四日金曜の裁判で、銃弾の穴だらけになっているはずの、ニエトが着ていた赤いフォーティナイナーズジャケットの写真はないと言った。ところが、翌週月曜に、市の側の専門家の証人が、市が彼に提供したジャケットの写真について言及したのだ。陪審員たちは、撃たれたこめかみに一致する穴があるニエトの帽子と血だまりの横に転がっていた壊れたサングラスの写真を見せられた。検死官は、ニエトの顔の擦り傷はその時彼がサングラスをかけていたことと一致すると証言した。

だがしかし、この証拠が提出される前に、リチャード・シフ警官は、宣誓の上で、ニエトと目を合わせたことと、ニエトが額にシワを寄せて渋面になったことを証言したのだ。もし、死んだ男が野球帽を被り、サングラスをかけていたのなら、シフはこういったことを見ることができなかったはずだ。そして、最後に、四人の警官が五九もの弾丸を誰かに撃っておきながら、その相手が撃ち返してこないことに誰ひとり気づかないなどということがありえるのか？　それに、彼らが報告した「閃光」とはどういう意味なのか？　閃光を出すことが不可能な機械だというのに。

エルヴィラ・ニエトが息子の死による絶望感について証言したとき、〔弁護士の〕ポインターは夫の気持ちについても尋ねた。〔副法務官の〕バームガートナーは「異議あり！」と叫んだ。まるで、妻が伴侶の苦悩について語ることが、あたかも「伝聞証拠」として不適格になるべきだと言うように。裁判官は異議を却下した。別のとき、ジャスティン・フリッツは、彼が九一一の緊急通報をしたために起こったことを謝罪した。彼は苦悩しているように見えた。〔ニエトの父の〕レフジオはフリッツからの抱擁を許したが、妻は拒否した。「後でレフジオが、あのときアレックスの言葉を思い出していたのだと教えてくれた」とエイドリアナがわたしに伝えてくれた。「対立したことがある人であっても、自分自身は道徳的に高い基準で行動することを選び、最良の自分であろうとするべきだ」というアレックスの言葉だ。

エイドリアナは裁判で毎日ニエト夫妻と一緒に座り、裁判所が任命した通訳者が休みのときには通訳してあげた。完璧なスーツとネクタイ姿のバク＝シエラは、彼らのすぐ後ろに毎日座っていた。裁判所のベンチの前三列は、いつも友人や支援者でいっぱいだった。ニエトの叔父もよく来ていた。ニエトと同じく若いラテン系の仏教徒で、彼の親友だったイーライ・フローレスもそうだ。フローレスはわずか一一歳のときに仏教のグループに加わったのだった。フローレスが後で語ってくれたのだが、彼とアレックスは、自分たちの誓いや理想に沿って生きられるようにお互いを支え合おうとしたという。「泥の中の清浄な蓮（ピュア・ロータス）」であるという仏教の理念から、彼らはコミュニティの「浄心蓮」でありたいと願った。日常生活の乱雑さから自分を切り離すのではなく、その中でスピリチュアルな茎を伸ばすというものだ。

フローレスは、自分のコミュニティに社会奉仕できる方法として、サンフランシスコのシティ・カレッジで警察官になるために学んでいた。だが、ニエトが殺されたとき、自分が将来警察官になったり、銃を所持したりすることはできないと悟った。フローレスは、何年も努力を積んだキャリアを断念して再出発し、シェフになるために料理専門学校で訓練を受けている。フローレスはこう示唆した。もしかすると、ニエトは警察が自分の敵などとは思わず、あの夜に曲がり角を歩いていたとき、警官が自分のために来たということを理解していなかったのではないかと。ふだんから容疑者や凶暴な人物だと思われがちな有色人種の男性は、衣服や行動、場所を節制することで、つねに自分の非犯罪性や無害さを伝達しなければならない。でも、ニエトはその不文律に従っていなかったのかもしれない。

別のラテン系の友人は、「テーザー銃を身に付けることで危険にさらされるかもしれないと、ニエトに警告したことがある」とジャーナリストのサナ・サリームに語った。けれども、ニエトは警告を軽く聞き流した。白人の恐怖心を考慮せず、公園でこれまでどおりに自分の好きな服を来て、ありのままの自分でいる権利を信じる自信が、アレックス・ニエトを殺したのだと主張する人がいるかもしれない。違いのある人びとが共存していた、多様性がある昔ながらのベルナル・ハイツなら、それでよかったのだ。だが、故郷が変化したいまでは、それは通用しなくなってしまった。

民事裁判では〔有罪判決の基準は、刑事裁判のように〕「合理的な疑いを超える」のではなく、「証拠の優越」だけで良い。それに誰も実刑判決は受けない。だが、もし市と警官に法的な責任があることが認められたら、巨額の示談金が支払われ、関わった警官のキャリアに影響を及ぼす可能性がある。多くのジャーナリストや地元のテレビ局、新聞がこの裁判を報じた。二〇一六年三月一〇日、前日の午後と当日の朝をかけた審議の後、（白人五人、アジア系女性一人、アジア系男性二人で、黒人とラテン系は皆無の）八人の陪審員が、すべての訴因において全員一致で警察を支持する裁定を下した。フローレスは廊下で泣き崩れた。アメリカ自由人権協会の北カリフォルニア部会は、この評決に対する「アレックス・ニエトが白人だったらいまでも生きていたのか？」という反論を公表した。評決の夜、モース警官が友人のフェイスブックにニエトを嘲笑うような攻撃のコメントを載せたという訴えについて、警察は現在調査している。

サンフランシスコは、いまや、分断した残酷な場所に成り果てた。裁判の一か月前、市長はスーパーボウル[66]のためにホームレスを一掃する決断を下した。ゲームが行なわれるのは、四〇マイルも離れたシリコンバレーにあるフォーティナイナーズの新しいスタジアムだというのに。ホームレスが多いことについてのインターネットでの文句は、市での文化の衝突の症候になった。さほど成功していないスタートアップ企業[67]の創業者であるジャスティン・ケラーが、二〇一六年二月にインターネットに載せた市長への公開書簡の口調はその典型的なものだ。

市のジェントリフィケーションに人びとがフラストレーションを抱えているのは私も知っていますが、現実には、私たちは自由市場社会に住んでいるのです。裕福な労働者は、この市に住む権利を獲得したのです。彼らは外に出て行き、教育を受け、一生懸命働き、この権利を獲たのです。お金を乞われる心配をしなくてもすむのは当然でしょう。毎日通勤の途中にホームレスの人びとの苦痛や苦労や絶望を見させられなくてすむのも当然でしょう。

そして、アレハンドロ・ニエトとの遭遇の後で彼をぶち殺したいと思ったエヴァン・スノウのように、ケラーも、ある意味では願いを叶えた。ほかの場所から追いやられた何百人ものホームレスは、ミッションの端にあるディヴィジョン・ストリート周辺の高速道路高架下にテントを設置し始めていた。住民がほとんどいない埃だらけの工業地帯だ。だが、雨季の避難所でもあったこの場所を、市長は破壊した。市の作業員がテントや持ち物をゴミ収集トラックに放り込み、全所有物を失ったばかりの人びとを追い出した。身体障がい者の男が歩行のために頼っていた杖がゴミ収集トラックに轢き潰された場面を、ホームレスのアドボケイトが撮影した。ニエトの裁判が始まった日の夜明け前にも、この粛清のひとつが行なわれた。

裁判が警察に有利な評決で終わったとき、ラテン系アートのためのミッション文化センターの屋内と、その外の雨模様のミッション・ストリートに、一五〇ほどの人が集まった。彼らは毅然として落ち着いており、がっかりしていたが、まったくショックは受けていなかった。アレックス・ニ

(66) アメリカンフットボールのプロリーグ、NFLの優勝決定戦。
(67) 新たなビジネスモデルで起業した会社。

エトに起こったのが間違ったことだと司法制度が立証してくれることを、ほとんどの者が期待していなかったのが明らかだった。悲しいし、悔しいのは事実だが、彼らの本質や歴史はこの評決では揺るぎはしない。法廷で着ていたスーツを脱いでTシャツと野球帽に着替えたバク＝シエラは情熱的に語った。オスカー・サリナスもそうだった。彼は、フェイスブックにこう書き込んだ。「アレックス、君は、けっして忘れ去られはしない。君の両親は我々とコミュニティがいつも面倒を見つづける。私がいつも言っていたように、ラ・ミシオン(ミッション)の暗黙の誓いは、誰かが苦しんでいたり、助けを必要としていたり、亡くなったりしたとき、我々は家族として一丸となり、面倒を見るというものなのだから」。若い女性が話すために椅子の上に立ち上がると、たくましい二人の男がひざまずいてその椅子を支えた。

ニエトの両親は、スペイン語が理解できない者のためにエイドリアナの通訳つきで語った。そして、エイドリアナも自分自身の言葉としてこう語った。「アレックス・ニエトの裁判に関わることで起きた、私のキャリアにおけるとても重要な変化のひとつは、修復的司法の訴訟手続きについて学びを深めたことでした。なぜなら、法制度のトレーニングを受けた者として、私たちを傷つける者が個人的な説明責任を持たない限り、このコミュニティで警察の攻撃から守られずにいる苦痛と恐れから逃れることはできないからです」

エイドリアナと歴史学者の夫、彼らの友だちで長年のエイズ活動家やクィアの振付師たちは、近くにあるオンボロの建物に一緒に住んでいる。彼らはその前の年に立ち退きに対抗する闘いを繰り広げ、勝利した。けれども、その夜に一体となったコミュニティは、市を引き裂いている経済的な威力に対しては依然として脆弱だった。ここに集まった人びとの多くは、じきにどこかに移動しなければならないかもしれないし、すでに移ってしまった者もいるだろう。

アレックス・ニエトの死は、銃弾に引き裂かれたひとりの若者のストーリーであり、彼を覚えておくために一丸となったコミュニティのストーリーである。訴訟が大義に変わるにつれ、表現がビデオやポスターや記念碑などのアートになるにつれ、友情や連帯が生まれて強化されるにつれ、彼らは正義以上のものを追求するようになった。ニエトの殺害から一年後の二〇一五年、先住民の移民である二一歳のアミルカー・ペレス＝ロペスが警察に射殺された。彼は背中に四つの弾丸、頭に一つの弾丸を受けて死んだというのに、警察はナイフの攻撃からの自己防衛だと主張した。ニエトの裁判から一か月も経っていない二〇一六年四月七日、警察は長年のサンフランシスコの住民であるルイス・ゴンゴラを撃ち殺した。彼がナイフを持って突撃してきたという主張だった。だが、彼が属していた小さなホームレスのコミュニティの目撃者、現場を取り囲む建物からの目撃者、監視カメラのすべてが、その主張に反していた。市の政府の一部とみなしうる警察が、経済的な津波と一緒になって黒人とラテン系のコミュニティを全滅させつつあることに、人びとはますます怒りをつのらせた。

二〇一六年四月下旬、有色人種の青年四人と祖母が、ハンガー・フォー・ジャスティス（正義のための飢え）のキャンペーンとして、警察署長を強制的に辞任させるためにミッション警察署の前でハンガーストライキを行ない、一八日間断食した。社会通念は彼らの視点や努力を軽く片付ける。だが、数週間後、武器を持っていない黒人で、妊娠中の母親であった二〇代のジェシカ・ネルソン・

ウィリアムズを警察が殺した日、警察署長のグレグ・スーアは辞任を強いられた。その夜のデモでは、ウィリアムズが一発の銃弾で死んだ工業地区で、二人の女性がバナーを掲げて「我々は最後の三%だ」と言った。サンフランシスコの黒人の人口は、六人に一人は黒人だった一九七〇年代をピークに、激減している。この街区を少し先に行ったところに、高速道路の高架下に抱え込まれた、要塞モダニズム[68]と呼べるような様式のジェントリフィケーションを経た家並みが見える。スーアが辞任し、ウィリアムズがミッションの南で殺されたのと同じ日に、ネクストドアの一〇人ほどのユーザーが、サイトでのミッション地域のフォーラムを使ってスーアを褒め、感謝を表明した。彼は、警察署長として、サンフランシスコ市警察による複数の銃殺を正当化し、いくつもの裁判で事実についてたびたび嘘をついたというのに。

アレックス・ニエト殺害の記念日でもあった春分の日、評決の後の集会で、エイドリアナ・カマレーナは群衆に向かってこう言った。「ニエト夫妻が昨日言ったように、私たちの勝利は、私たちがいまでも一緒にいるということです」

だが、多くの勢力が、この一体性を脅かしている。

(68) コンクリートを用いたミニマリズム建築のこと。

内にも外にも行き場のない人たち

No Way In, No Way Out (2016)

あなたはおそらく、良い人生を送っていることだろう。最小限の基本的な意味においては。あなたには家を離れる自由があり、帰ることができる家という保護がある。かたや仕事、娯楽、社交、冒険、社会活動をし、かたやプライバシーを持ち、守られている。公私のバランスがあり、世界に自分の居場所があること、あるいは、居場所と世界の両方を持っているという自信があること、それは、ほぼクオリティ・オブ・ライフの定義でもある。

レーガン革命の時代、家を失い、投獄された、何百万人ものアメリカ人にとって、このウェルビーイングの基本的な条件は、手が届かないものになった。前者の家を失った人びとは、避難できる場所（シェルター）や家庭、安定という「内」へ入るアクセスを持たずに、「外」に住んでいる。後者の投獄された人びとは、自由である「外」へ出るアクセスがない「内」に住んでいる。どちらも、慢性的にプライバシーと行為主体性が欠如した状態に苦しんでいる。

こうした階級の人びとは非常に多く、囚人は二二〇万人おり、家のない人は常時、約五〇万人いる。このような人びとは「使い捨てのもの」とみなされていて、刑務所と路上が彼らの捨てられる場所だ。刑務所と路上は密接に関連しており、総合的な悪循環によって、互いが維持されている。囚人が刑務所から釈放されるときに持っている元手は、仕事をし、住まわねばならない世の中に復帰するには少なすぎる。そのため、多くの者はそのまま路上暮らしになる。路上で暮らす人びとは、ただ日常生活をしているだけでしばしば有罪になり、刑務所に入ることになる。

サンフランシスコの条例では、歩道に座ったり横たわったりすることを禁じており、公共の公園で寝ることや、公衆の場での排尿や排便も禁じている。こうしたことは生物学的に誰もがする必要があることで、ふつうは家の中ですることだ。住む家がない多くの人びとは、車の中に住んでいたり、夜間も職場に居残ったり、深夜バスに乗っていたり、知り合いのソファを渡り歩いたりして、一見するとほかの人と同じようにしているので、通常は不可視である。だが、もっとも絶望的で社会から取り残されている人たちの場合は、もっとも可視の存在になる。彼らは目立たないようにしているにもかかわらず。わたしは毎日のように彼らの近くを通りかかり、そのたびに彼らが大型店のうしろや工業用地の脇に姿を消そうとするのを見る。周辺の居住者たちの通報によって、その場から排除されたくないからだ。

若い人たちは知らない(そして、年がいっている人たちの多くは思い出せない)だろうが、一九八〇年代以前にはホームレスはほとんどいなかったのだ。それを知らない人は、「ホームレス問題は存在する必要がない」ということが理解できない。四〇年前の保護された資本主義よりさほど極端ではない解決策で、そのほかの多くの社会問題と同様に、この問題はほぼ終わらせることができるのだ。四〇年前の資本主義では、いまよりも実質賃金が高く、いまよりも納税の責任が公平に割り当てられ、いまよりもセーフティネットが多くの落ちてきた人を受け止めていた。ホームレスは、国、州、地方の政策が作り上げたものだ。精神医療制度への資金援助停止がホームレス増加の原因としてよく挙げられているが、それだけではない。まったく精神的に問題がない人も、毎日のように住処を失っている。その結果、正常心を失うかもしれないが、それはあなたやわたしにも起こりかねないことだ。

アンチ税金のいまの時代には、多くの都市はホームレスに課税することで税収を得ようとし、警察を事実上の税金取り立て人に仕立てている。物乞いや徘徊や路上で寝ることへの罰金が払えない者は、(たいていの人は、物乞いや徘徊や路上で寝ることを余儀なくされているのだが)いつでも法廷に引き出される可能性がある。アストラ・テイラーはこう観察している。「おもに裕福な白人の市民が、自分たちの税率を下げて特別扱いをしてもらうためのロビー活動、「税金反乱」を行なってきたために、地方自治体の予算は些細な法律違反の罰金に過剰に依存するようになっている」。ブラック・ライヴズ・マターの運動は、貧困を犯罪化することや、些細な法律違反で警察がアフリカ系アメリカ人を迫害していることに対する抵抗という一面もあるのだ。

いまやシリコンバレーの一部として併合されてしまったサンフランシスコでは、とくに悲惨な状況になっている。テック産業が巨大な富のバブルを作り上げ、経済的不平等をさらにはっきりと浮き彫りにしているからだ。歴史的にラテン系と労働者階級が住むミッション地区の西の端にある家に住んでいるのが、世界で五番目に裕福なマーク・ザッカーバーグだ。そして、同じ地区の北の端にあるディヴィジョン・ストリートでは、二〇一六年の初頭に住処がみつからない二五〇人の人びとがテントを立てた。雨と、スーパーボウルの来場者に備えて市を美化するためにホームレスを一掃する市長からの避難場所として。

もちろん、ホームレスであることそのものが、大変な仕事だ。わたしは三六年以上にわたって、サンフランシスコの貧困者を観察してきた。ときおり彼らは狩猟採集民のことを連想させる。彼らは、生存のために食料を探し、攻撃から逃げ、歩き回り、見張りをし、ときには福祉サービスや〔無料で食事を提供してくれるボランティア団体の〕スープキッチンなどを巡回し、自分の所有物を守ろうとする。そして、薬や携帯電話、書類などが、仲間から盗まれたり、警察から押収されたりしたら、また一から集め始める。都市は、彼らにとって原野なのだ。彼らがいま住んでいるのが娯楽のキャンプ用のテントだというのは、さらに皮肉なことだ。ある者は、持ち物を失うことを恐れて、ほんのわずかの時間でもテントを離れることができないと感じていることを、写真家のロバート・ガンパートは記録している。安全に休める場所が見つからないので、寝不足に苦しむ者もいる。

家がない人は、「問題ごとを抱える人びと」というよりも、「人びとにとっての問題ごと」とみなされがちだ。だから、彼らの問題への対応方法が、しばしばゴミ、汚れ、汚染に対して使われる対応方法である「除去」であるのも不思議ではない。ミッション地区の住民のブランデンという人物は、地域のオンラインフォーラムに「好ましくない人びとが公園のトイレを使用するのを防ごうとするなら、仮設トイレを設置してあげるのがまともな解決策だと思える」と書き込んだ。「汚い、好ましくない人たちを永久に遠ざけておこうとするなら、彼らの存在を禁じるあらゆる法を実行するために、暴力の行使を委任された警官が常駐している必要が生じるだろう」と。

籠の中の鳥——死刑囚を訪問して思うこと

Bird in a Cage: Visiting Jarvis Masters on Death Row (2016)

サンフランシスコ湾にボートを漕ぎ出すたび、わたしがほとんどいつも思いを馳せる二つのことがある。ひとつは、シャンカール・ヴェダンタムの『隠れた脳』の一節だ。彼はその中で、ある日の遠泳の体験について書いている。自分でもまあまあの泳ぎ手だと自覚していたヴェダンタムは、その日、海で泳ぎだしたとき、自分が力強くて最高の泳ぎ手になったように感じ、新たに獲得した能力を誇らしく思った。だが、岸から遠く離れたときに、これまで自分が潮流に乗っていたこと、戻りは岸までずっと流れに逆らわなくてはならないことに気づいた。「無意識のバイアスが私たちの生活に与える影響は、あの日の海の底流とまったく同じだ」とヴェダンタムは書いている。「流れにのっている人々は、常に自分は泳ぎがうまいと思うし、流れに逆らっている人々は、自分が思っているより泳ぎがうまいとは、ずっと気づかないままだ」〔シャンカール・ヴェダンタム／渡会圭子訳『隠れた脳』インターシフト〕

たいていの朝、わたしは潮流に逆らってスカル[69]を漕ぎ出す。向きを変える瞬間は爽快だ。それまではぎくしゃくして漕いでも漕いでも前に進まない感じだったのに、突然、優雅で力強いストロークに変わる。流れに乗っているとわかっていても、自分がとても上手になったように感じる。

漕ぐことは、わたしにとって飛ぶことにこよなく近い。波がない静かな海のときには、傷だらけの古いオールが両脇の水面に双子の輪を作り、波紋が広がって船尾の後ろでつながる。その穏やかな撹乱からわたしは永遠に遠ざかっていき、水面は再びガラスのように滑らかになる。湾が鏡のように見えるもっとも穏やかな日には、海面に映った雲の中を、オールがわたしとスカルを滑らかに導いていく。無限の空間を翼のように動く、九フィートの二本のオールが。

鳥たちは大きな歓びだ。アジサシやペリカン、カモメ、オオバシ、セイタカシギ、鵜は急降下し、飛びまわり、水面に浮かび、空中と水中とその間にある平地で暮らしている。ボートを漕ぐ自由は、鳥たちの自由によってさらに大きく広がる。わたしは、サンフランシスコ湾に流れ込むコート・マデラ・クリークの河口から出発し、途中でサン・クエンティン岬とサン・クエンティン刑務所の横を通る。

刑務所の脇を通り過ぎるとき、わたしは潮流のことを考え、長いこと気になっているジャーヴィス・ジェイ・マスターズに思いを馳せる。わたしたちが生まれたのは、ちょうど八か月違いだ。わたしたちはどちらもカリフォルニアの沿岸生まれで、どちらもストーリーテラーだ。けれども、彼は一九歳のときから三〇年以上ずっとサン・クエンティン刑務所に閉じ込められていて、生涯にわ

(69) 競技用ボート。

たって潮流に逆らい泳ぎつづけてきた。過去二五年間、彼は死刑囚だ。証拠は彼の無実を証明しているのに。

二三歳になるまでのマスターズの物語は、貧しい都市部の少年の誰にでも置き換えられるものだ。彼の父親は行方不明で、母親はヘロインの渦に吸い込まれた依存症。幼年期に両親からネグレクトの虐待を受け、これ以上ないほど最悪な里親制度に乗り、そこから少年院に直滑降というものだ。一九歳のとき、彼は武装強盗をしてサン・クエンティンに送り込まれた。四年後の一九八五年六月八日、五人の子どもを持つサン・クエンティンの看守だったハウエル・バーチフィールドが殺害された。この犯罪を計画して実行した罪で、黒人の刑務所ギャングの二人のメンバーが有罪判決を受けた。彼らが与えられたのは終身刑だ。マスターズは、この殺人を共謀し、バーチフィールドの心臓を刺すのに使われた武器を研いだとして告訴された。そして、死刑判決を受けた。

本や映画では、有能な弁護士や捜査官が微妙な詳細を一つ、うまくすれば二つ見つけて、信憑性があると思われた訴訟を疑わしくする。しかし、マスターズの場合には、訴訟の弱点は一つや二つではないのだ。わたしに言わせれば、鎖全体が腐っている。主要な目撃者は証言を変え、マスターズの不利になる証言をした何人かの囚人たちはそれらを撤回した。マスターズを有罪にする報奨を提供されたと証言した者も何人かいる。ある重要な目撃者は、あまりにも信頼性がなく、何十もの裁判で州の密告者として使われすぎており、そのせいで退場させられることになった。彼はマスターズに関する証言を撤回した。バーチフィールドを刺した男は、二〇〇四年に、マスターズが無実だと語った。この裁判にかけられた三人の男たちは全員、「(ギャングの)司令官から、死の脅しを受け、（ギャングについて）いかなることも語ってはならないと宣誓させられた」と言った。つまり、マスターズは二つの死刑判決を受けたことになる。ひとつの死刑が、もうひとつの死刑のお膳立てをしたのだ。

わたしが最初にマスターズについて読んだのは、彼の殺人裁判で弁護側の捜査官だったメロディ・エルマチャイルド・チャーヴィスが一九九七年に出版した『ストリートの祭壇（*Altars in the Street*）』だった。チャーヴィスとマスターズは、三〇年間、親密な関係を保ってきた。彼女とわたしは、この後、友だちになった。「それは明白でした……。ずっと前の一八八五年から一九九〇年のころから。多くの容疑者がいて、多くの仮説がありました」と彼女はわたしに言った。「彼らが犯した最大の過ちは、犯罪現場を破壊したことです。彼らは、すべてをまとめてマリン郡の廃棄物集積場に放り捨てたのです」

囚人同士が交わした何百ものメモや、刑務所内で作られた大量のナイフを囚人と刑務所の職員が処分した経緯について、チャーヴィスは説明してくれた。〔殺人のあと〕刑務所内を捜査されることに気づいた囚人たちが、メモや武器を自分の監房から放り捨てた。山のように大量にあるマスターズの法的書類のひとつによると、看守らは、殺人に使われた可能性がある二つの武器を押収して証拠として封筒に入れたと言った。だが、この両方の武器が、裁判を前にして消え去った。

殺人事件が起きたとき、マスターズはギャングのメンバーだった。しかし、最終的にギャングのリーダーは、行方不明の武器をマスターズが研ぐのは不可能だったという多くの理由を挙げた。一つは、マスターズがバーチフィールドの殺人に反対の票を投じたことだ。これは不服従であり、マスターズは組織の職責を剝奪された。もう一つの理由は、地理的なものだ。マスターズの監房は四階にあったが、殺人が行なわれたのは二階だった。武器を届けて回収するのは非常に難しいし、危険だ。それに、ある目撃者が、武器が二階から出たことはまったくなかったと証言した。そのうえ、ほかの者が武器を作ったことを認めたのだ。

二〇〇一年、マスターズの弁護士は、上訴の見解論旨書を提出した。その後、彼の訴訟はゆっくり進行した。二〇一五年一一月になって、ようやくカリフォルニア州最高裁判所は口頭弁論を聞いた。カリフォルニア州の遅々とした上訴プロセスの標準からしても、これは異常に長くかかった。

黒人は、カリフォルニア州の住民のわずか六・五%しかいないのだが、投獄されている者の二九%、死刑を宣告された者の三六%を占めている。黒人は、同様の犯罪で有罪判決を受けた者よりも死刑判決を受ける可能性が高い。また、白人を殺して有罪になった有色人種の加害者は、被害者が白人以外だった場合よりも、はるかに死刑を宣告される可能性が高い。潮流に乗って泳ぐ者と流れに逆らって泳ぐ者がいるが、逆流に加えて〔水圧が強い〕消防車のホースで水をかけられる者もいるのだ。

わたしが初めてマスターズを見かけたのは、二〇一一年の証拠審問のときだ。小さな法廷に立っていたのは、手かせと足かせをつけてオレンジ色のジャンプスーツを着た控えめな男だった。友人か支持者と思われる一〇人ほどが傍聴に来ており、そのほとんどが仏教コミュニティの人たちだった。判決を受けて以来、マスターズは献身的な仏教徒になったのだ。彼は毎日瞑想をし、仏教が教える慈悲心をほかの囚人や看守との日常生活に織り込もうと試みているのだとわたしに語ってくれた。一九八九年、マスターズは、亡命中のチベット仏教のラマであり高名な師でもあるチャグダッド・タルク・リンポチェ(二〇〇二年に死去)のもとで仏教の誓いを立てた。(最初の誓いは「私は、今日この日から、たとえ自分の命を失ったとしても、他人を痛めつけたり、傷つけたりはしません」というものだった。)その後、マスターズは仲間である囚人の暴力や自殺を食い止め、絶望している者を慰め、成長を励ました。罪に問われているにもかかわらず、彼が看守たちから好かれ、信頼されているのは明らかだった。西洋ではたぶんダライ・ラマの次にもっとも有名な仏教徒で、作家であり、尼僧でもあるペマ・チョドロンは、マスターズのことを称賛し、毎年、彼を訪問する。

二〇一五年の後半にわたしがマスターズと電話で話すことをはじめたとき、マスターズは、囚人たちがいかに外の世界との接触を切望しているのかを語った。彼は仏教のおかげで、苦悩や怒りに対処する実用的な思想を持っている、倫理的で理想主義を掲げる人びとのコミュニティに加わることができた。それによって、彼は自分の外部と内部の両方とつながるようになった。「瞑想は、それなしでは生きられないものになりました。より明瞭に見ることや聴くことができ、リラックスして落ち着くことができます。実際に、体験していることがスローモーションになっていくように感じるのです」と彼は一九九七年に書いた。「ものごとがどのように絶え間なく変化し、消えていくのかを観察していくうちに、以前よりも、その日その日をありがたく思うようになりました。すべては、来ては去る継続的な過程の最中にあるのだと気づいたのです。わたしは幸せの感情も怒りの感情も、長くは抱きません。来ては去るだけです」

マスターズは、執筆によっても外の世界とつながっている。彼は、二冊の本を出版した作家であり、多くの雑誌にエッセイを寄稿している。彼は自分のエッセイについて「自分の翼で羽ばたいて行き、そのうちいくつかは私の元に戻ってきます」とわたしに語った。自分の手が届く範囲について彼が「翔ぶ」のを比喩に使ったのは初めてのことではない。彼の回想録のタイトルは、刑務所の構内でバスケットボールを使ってカモメを打ち落とそうとしていた別の囚人を止めた体験から来ている。なぜ止めるのか尋ねられたマスターズは、そのときに頭にひらめいたことを答えた。「あの鳥は僕の翼を持っている」。それゆえ、幼年期から成人になるまでの彼の半生を綴った、読者の心を摑み、心を動かす回想記のタイトルは『あの鳥は僕の翼を持っている（*That Bird Has My Wings*）』になった。

「ここに入るのはすごく難しかったんですよ」とわたしはマスターズに言った。刑務所の制度をどうくぐり抜ければ会えるのか、それを探り出す努力をして、ようやくこうして訪問できたことについて語ったのだ。マスターズは「私には簡単でしたよ」と答え、わたしたちは一緒に笑った。初めて彼に手紙を書いてから訪問できるまで、ほぼ二か月にわたって官僚主義と争ったのだった。ついに、一月の寒い日曜日、わたしは許可された色の服に身を包み、持ち込みが許されている数少ない物を持って、訪問者用の入り口にやって来た。わたしが持っていたのは、鍵がひとつ、州が発行した身分証明、自動販売機用の紙幣と硬貨少々、事実を確認するための質問と確かめたい引用を書いた数枚のメモを、透明なジップロックに入れたものだ。有色人種の女性が多い待合室で三〇分待ったあと、わたしは自分の身分証明を見せ、彼らがそれを刑務所のファイルにあるわたしの情報と照らし合わせてから、X線装置を通り抜けた。その向こう側でわたしを出迎えたのは、邪悪な建築様式の粗末なごちゃまぜだった。突然、わたしはひとりきりにされ、数百ヤード離れた面会室までの行き方を自分で見つけなければならなかった。

その後もいくつものドアを通り抜けねばならず、最後に警護ブースの若い女性がわたしの身分証明と通過許可書を取り上げ、扉をあけて監房の中に入れてくれた。そこは、自動販売機以外はすべてバターのような薄い黄色に塗られた部屋で、一五個の檻があって、訪問者は囚人と一緒にそこに閉じ込められていた。檻はU字型にアレンジされ、看守は囚人が入ってくる内側の入り口と、訪問者が入ってくる外側の入り口の両方に配置されていた。それぞれの檻は四フィート×七フィートくらいの大きさで、それでも囚人たちが住んでいる檻よりさほど小さくなく、なかにはプラスチックの椅子が二つと小さなテーブル一つが置かれていた。

鋼鉄の鎖に鍵をぶら下げた重そうなベルトを着けた看守が、囚人が出入りするドアに一番近い檻にわたしを入れて鍵をかけた。マスターズは、背中の後ろで両手に手錠をかけられて到着した。いったん檻の中に入ったら、マスターズは両手を上にあげて看守たちに手錠を外してもらった。マスターズと看守の両方が何度も繰り返した動作だということは明らかで、まるでありふれた日課のように見えた。こうして、マスターズとわたしとの初めての直接の対話が始まった。そのすぐあとに、ずんぐりした白髪の白人の男が訪問用の檻から出ていく途中に通りかかり、彼とマスターズは何かを大声で言い合った。それが敵意なのか友情なのかよくわからなかったので尋ねたら、友情のほうだとマスターズは答えた。二人は里親の世話になっていたころからの知り合いなのだという。あたかも、彼らは小さな少年のときから死刑囚になるべくして育てられたかのようだった。

また別の囚人が戻る途中で立ち止まり、彼の娘が大学の休日に自分に会いにきてくれたと話した。彼らが会話を交わし、看守の監視のもとで男が去っていったあと、マスターズは自分が彼らの「腹心の友」になったのだとわたしに語った。彼が文筆業をしていることや、立ち居ふるまいから、ほかの者にはふつうは明かさないような個人的な事情を打ち明けられる、信頼できる人物だとみなされるようになったのだ。それに、彼は若い囚人や看守が生まれる前からずっと、この刑務所にいるのだとわたしに思い出させてくれた。

「私はとても恵まれていると思います。悪い方向に行ったかもしれないことはたくさんあって、それらが私に悪い影響を与えていたかもしれないのに」、そう彼は言った。「悪い方向にはいかなかったことがたくさんあったのです。私は多くの悲劇を見てきました。それらすべてが私に起こっていたかもしれないのです。暴力的な心を持つ者も見てきましたが、私がその類の憎悪を持っていないことは天からの恵みだと思うのです。死刑囚でいることは、人の苦難の最前席に座っているようなものです。この場所が人を破壊するのを何百回も見てきましたが、私は壊れてはいません。いまでも狂っていないのが、たぶん私が狂っているところなのでしょう。私は自分が恵まれていることを毎日ありがたく思っています」

ボート漕ぎを始めたとき、瞑想のような活動だとわたしは思った。水面を移動する単純な動作に多くの集中力を必要とするからだ。その繰り返しの動作をするためには、タイミングや身体のポジション、力の入れ方といった多くの微妙な要素を含めて、全身を指揮しなければならない。きちんとやろうとしたら一生かけて学ばなければならないかもしれないが、学んでいる間にも、水の上を何マイルも移動できる。この動作を身体が覚え込むと自動的な動きになり、漕いでいる間にほかのことを考えられるようになる。とはいえ、物思いに耽ることはそうない。あまりにも美しすぎるので。

仏教はすべての存在からの解脱をよびかける。それは、刑務所や自由をどう扱うのか考えるのに役立つ手段だ。わたしたちは皆、ボートを漕いですれ違う。潮流がどう動いているのか、誰がそれに乗って浮いているのか、誰が水の中に引きずり込まれているのか、水の中に入ることすら許されていないのは誰なのか、わたしたちにはそれを知る義務がある。

わたしは檻のすぐ外にある自動販売機で、いくつかの物をマスターズのために購入した。わたしは自動販売機にアクセスできるが、彼はできない。マスターズは、わたしに食事をするのかどうか尋ねた。わたしが「あとでタコスを食べるかも」と答えたら、彼は「それが自由というものだね」と言った。彼は正しい。自分が好きなときにタコスを食べること、ボートを漕ぐ自由を最大限追求すること、サン・クエンティン刑務所の中の迷路に入り、数時間後には立ち去ること、他人の話を聞き、伝えること、どのストーリーがわたしたちを解放するのか決めること。そのすべてが「自由」だ。

わたしがジャーヴィス・マスターズに関心を抱き、気にかけ、交流し、訪問するようになったきっかけは、メロディィ・エルマチャイルド・チャーヴィスの書いたストーリーであり、マスターズの精神的指導者になった禅僧のアラン・セノークの書いたストーリーであり、マスターズ自身が書いたストーリーだった。彼が籠から離れて自分の翼で翔び立つのを目撃する夢をわたしに抱かせたのが、これらのストーリーだ。一方で、彼はすでに自由である。ストーリーテラーとして、彼は自分に与えられたナラティヴから脱出し、人生が何を意味するのか、自分自身の型を作り上げた。「結果がどうあれ、私はそれに対処できる立場でいたい」。彼はわたしにそう言った。「私に「ジャーヴィス、おまえはこの訴訟に勝つよ」と言う人はたくさんいます。別の場合も同じことです」。つまり、彼は勝てないと言う人も多いということだ。「どちらの場合も私は怖れています。こっちの場合を考えるのも怖いし、あっちの場合も怖い。夜よく眠れているかですかって？　もちろん、よく眠れません。でも、この制度を少しは信頼しています。信頼するしかありません。彼らが正しい判断を下す可能性はあります。この制度の結果を信頼しています。歴史を考えると、信頼するまっとうな理由はあまりないのですが。でも、これが私の結論なのです」

追　記——却下された上訴

CODA: CASE DISMISSED (2016, 2018)

マスターズの弁護士は、二〇〇一年に上訴の見解論旨書を提出した。二〇一六年二月二二日、長く待ち望んでいたカリフォルニア州最高裁判所の判決が言い渡された。それは、彼の死刑判決を支持し、彼の裁判の正当性を再確認するものだった。この裁判は、誰が信頼できる目撃者で、どの証拠が認められ、どれが認められないかについて恣意的あるいは偏見があるように思える裁定を含んでいた。

上訴のプロセスでは、裁判そのものの内容についてしか異議を申し立てることができない。上訴は失敗に終わった。マスターズが死刑囚として小さな籠の中で人生の一五年を費やしたのちのことだった。彼の弁護士は、再審理の請求をし、人身保護令状請求とともに請求をつづけるつもりだ。人身保護令状があれば、多くの目撃者が撤回した事実などの新しい情報を裁判で使うことができ、全体的に前よりも強い訴訟ができる。だが、マスターズの潔白が証明されて自由になれるかどうかを推測するのは不可能だ。

わたしたちにわかっているのは、情勢が不利だということだ。

情勢は、マスターズの人生を通してほとんどずっと不利だった。七三ページにわたる最高裁判所の判決文のかなりの部分は、マスターズが未成年者のときに行なったとされる悪行の数々を述べることに費やされていた。裁判所が持ち出すのに値すると判断した詳細のひとつが、「一九七四年、マスターズが一二歳の時、彼はほかの少年のポケットから小銭を取ったが、少年がマスターズに取らないように懇願したので、最終的にそのお金を返した。マスターズはその後、一〇セントを少年から借りただけで、返してほしいと言われたときに返したと警察に言った」というものだ。裁判所は、このばかばかしいほど些少なやりとりを、マスターズの不道徳さの証拠として含めたのである。だが、この逸話は、裁判官が意図したのとは異なるストーリーを伝える。それは、すでに犯罪者として扱われ、すでに法制度の内側にはまりこんでしまった少年のストーリーである。(マスターズは、残酷な実家から逃げたあと、幼い頃から里親の世話になり、少年司法制度により収監された。) わたしたちのほとんどが、子どものころには些細な罪を犯すものだ。でも、ほとんどが警察の尋問は受けないし、記録に残されて自分の不利になる証拠として四二年後に使われることはない。

マスターズは、「看守の殺人に関与したかどうか」についてのみ無実か有罪かを裁かれるはずだった。だが、上訴の裁決からは、州がいかにマスターズのことをほかにも多くの罪を犯した人物として描きあげたかったかがわかる。革命的な哲学を持つ黒人の刑務所ギャングの元メンバーだったことも、事件に関連があることとみなされた。要するに、彼は多かれ少なかれ、本質的に犯罪者であり本質的に危険な人物として裁判にかけられたのだ。これに彼の人種が無関与だとは思えない。

裁判所の判決文を読んだわたしの全体的な印象は、マスターズが、「低級の裁判の価値しかない、低級の人間」だとみなされていたということだ。もちろん彼は低級などではない。そのほかにカリフォルニア州最高裁判所が書いた驚くべき一節は、「弁護人は、バーチフィールド守衛官の殺害の犯行を認める多様なメモについて刑務官の証人尋問を求めた。これらのメモは刑務所の捜査官に手渡されたが、どうやら失われたようである……。ある警官もまた、バーチフィールド守衛官殺害の犯行を認める少なくとも一〇枚のメモを見た。第一審は、この警官がメモについて証言するのを阻止した」というものだ。言い換えれば、矛盾する証拠は失われ、彼の潔白を証明する可能性がある証言は除外されたのだ。カリフォルニア州最高裁判所は、これにまったく疑問を感じなかったのである。それだけでなく、もっとも重要な証言を提供した検察側の主要な証人が、同じギャングのメンバーであり、証言とひきかえに免責を与えられ、弁護チームと会ったり話したりするのを拒んだことも、まったく問題なしとされたのだ。判決文はこれに言及しているが、取るに足らないものとして却下している。この主要目撃者が信頼できないことをほかの囚人たちが証言したものも、却下した。主要目撃者は、殺害におけるマスターズの役割を証言したが、最初に説明したのはマスターズとは大幅に異なる男だった。彼の説明に酷似した別のギャングメンバーが、殺人に使われた武器を作ったことを実際に告白したのだが、裁判の時点で、マスターズの弁護士はこの重大な事実を知らされていなかった。

マスターズの主任弁護士であるジョー・バクスターは、裁判所の判決を「粗末な仕事」と呼んだ。「出来が悪い文章と、出来が悪い論拠」と言い、事実関係や法的な誤りがあると述べた。「正義の達成の遅れは、正義の否定である」は、良く引用される法の行動原理であり、マスターズの場合にも匹敵する。しかし、最初から正義の可能性があったのかどうかは、尋ねる価値がある質問だ。お粗末な証拠と手続きにより死を宣告された男が三五年も過酷な条件のもとで暮らしている。ジャーヴィス・ジェイ・マスターズに起こったことを表現するのに、「正義」はもったいなさすぎる言葉だ。

二〇一八年現在、ジョー・バクスターは人身保護令状審理の準備をしているところだ。わたしたちはその結果を待ち望んでいる。

記念碑をめぐる闘い

The Monument Wars (2017)

長年にわたって、わたしはニューオリンズに行くたびに、艶めかしいほど緑が美しい市立公園のすぐ外にある騎馬像の横を走り抜けたものだ。エスプラネード・アヴェニューがウィスナー・ブルヴァードと交わる大きな交差点にあるのだが、彫刻そのものは、よくある筋骨隆々の馬とそれに乗った男性という凡庸なものだった。この彫刻は、一八六一年四月にサムター要塞を攻撃して南北戦争を勃発させたピエール・グスタフ・トゥータント・ボーリガード大将を讃えるものだ。馬が上げた前脚の下にある盾は、ボーリガードが南部連合軍に従軍した四年間を記念しているが、彼がアメリカ陸軍に属していた一〇年についてはまったく触れていない。そこから数マイル南下したリー・サークルの真ん中には、南軍でのボーリガードの指揮官であり、奴隷所有者仲間であるロバート・E・リー〔の彫刻〕が、剣を脇に下げて腕を組み、六〇フィート〔約一八メートル〕の大理石の柱の上にそびえ立つ。リーはあまりにも高い場所にいるので、はっきりと見ることができない。あたかも、彼がそこにいることに疑問を抱く者には手が届かない場所にわざと置いたかのようだ。

ニューオリンズでは、南部連合の過去にまつわる記念碑を見つけるのは簡単だ。ミシシッピ川の土手には、一八七四年のリバティ・プレイスの戦いを追悼する白いオベリスクが立っている。リバティ・プレイスの戦いとは、クレッセントシティ・ホワイトリーグという人種差別の民兵組織が、〔南北戦争後に南部が再び合衆国に戻る〕再統合期のルイジアナ州政府を転覆させようとした血みどろの攻撃だ。白人と黒人両方のメンバーで構成されていた政権を防衛したのは、黒人の市民軍とニューオリンズ警察だった。小競り合いの間、ホワイトリーグの民兵は路線汽車の車両を使ってバリケードを築き、綿を梱包した俵の後ろに隠れた。この戦いで一一人の警官を含む数十人が死亡した。反乱は鎮圧されたが、復興を終わらせるという〔反乱の〕目的は二年以内に実現した。一八七六年の大統領選挙は、その前の一〇年間に起こった改革を押し戻し、黒人有権者から選挙権を剥奪した。一九三二年、この記念碑に、「カーペットバッグ[70]政府」を転覆したことを讃える碑文が新たに付け加えられた。その碑文には、国政選挙の結果は「白人の優越性を認め、我々の州を返してくれた」とある。

この碑文にある「我々」とは、もちろん白人のことだ。歴史書は北部が戦争に勝ったと主張するが、南部でその証拠を見つけるのは難しい。もし、本当に北部が勝ったのなら、負けた〔南軍の〕指導者たちを讃える彫刻や、彼らの名前をつけた道などないはずだ。もし北部が本当に勝ったのなら、奴隷としての苦難や自由になるための闘争の記念碑があるはずだ。もし北部が勝ったのなら、南部

(70) 南北戦争後に南部にやってきた北部の詐欺師の呼称。

連合の旗は恥ずべき信念と軍事的敗北の象徴になっているはずであり、博物館でしか見られないものになっているはずだ。もし北部が勝ったのなら、戦争は終わっているはずだ。わたしは、そう思っていた。ところが、南部では、わたしが大人になるまで見かけたことがない〔南部連合の〕旗や記念碑が、社会的礼儀にかなった風景の普通の一部なのだ。

わたしが現在住んでいる西部にも、まだ終わっていない戦争がある。インディアンとの戦いだ。二〇一六年にアメリカ先住民が率先したダコタ・アクセス・パイプラインに対抗するデモに参加したとき、その戦争がどれほど終わっていないかを実感した。抗議運動は、ノースダコタ州ビスマークの市庁舎の前で行なわれた。市庁舎の広大な芝生の上には開拓者の記念碑があった。灰色の鋳鉄製の彫像は、シャツの胸をはだけて何か行動しようとしている家長と赤子を腕に抱いて夫に寄りかかる妻、がっしりした息子、という開拓者一家を描いたものだった。家庭的なテーマにもかかわらず軍事的な記念碑であり、土地の侵略者を英雄として記念するこの種の記念碑は、西部全域に多く存在する。それ以上に、このような記念碑はアメリカ先住民が「彼ら」であり、「我々」とは違う存在だと主張しているのだ。

ビスマークでの〔抗議運動の〕群衆の中にいた一〇〇人あまりの若いアメリカ先住民たちが、自分たちを敵と表象している彫像に向き合わなければならないのは、脅迫的に感じる。〔抗議運動に配置された〕重武装の警察官の長い列は、見方によれば、脅迫そのものだ。一五〇年前にアメリカ陸軍が〔先住民の〕ラコタ族とダコタ族に対して行なった軍事作戦を思わずにはいられない。この戦いにより、部族の領土の一部、最終的には大部分が、白人の開拓地に利用され、言うまでもないが搾取の対象になった。この軍事作戦の目的の一部は鉱物資源の確保だった。「インディアン戦争」は過去も現在も、しばしば資源にまつわる戦いである。ルイジアナ州やカナダのアルバータ州のように、ノースダコタ州は油田権益の担保になっており、平和と祈りを戦術として宣言した先住民を暴力的な攻撃者として扱い、新たな宣戦布告をしているかのようだ。わたしがスタンディングロックを訪れたとき、活動家の陣営に近づくのを阻止するいくつものバリケードがあった。政府の警備員は、来た人の安全のために追い返しているのだとわたしに説明した。その言い分は、平和的な抗議者をテロリストや犯罪者のように描写することで恐れを植え付けようとする企てのように感じた。

西部にある彫像には、先住民族を殺して領土を剝奪した男たちを描いたものがかなりある。しかし、ほとんどの記念碑は、最初の侵略と武力衝突につづくもの、つまり白人による入植を表現している。サンフランシスコには、開拓者の母と子どもたちがゴールデン・ゲート・パークのジョギング・トレイルを見下ろした彫像があり、市庁舎の近くには、身を竦(すく)めた先住民族の男に立ちはだかるスペイン人の司祭とカウボーイを含めた一群のブロンズの彫像でできた大きな記念碑がある。この司祭とカウボーイは、先住民の男を「文明化」させようとしていることになっているのだが、それよりも、警察官が容疑者を痛めつけているように見える。

街は、道をさまよい歩くことで読む本であり、どの版の歴史を支持して、別の歴史を抑圧しているのかを知る文章でもある。自分が誰であり、何であるかによって、自己のアイデンティティは肥大したり、萎縮したり、自分を重要に感じるか、取るに足らない存在と感じるかが決まる。ニューオリンズにある南軍の記念碑について話し合うために、その市に住む弁護士兼作家のモーリス・カルロス・ラフィンに電話した。そのときに彼は「これらの彫像は——多くのものは物質的には美しいのですが——白人は人間だがそうでない者は人間ではない、と主張しているのです」と語った。ラフィンは、白人ではない。

誰を記憶し、どのように記憶するのか？　誰がそれを決めるのか？　これらは政治的な疑問だ。ジョージ・オーウェルは『一九八四年』の中で「過去を支配する者は未来を支配する」と書いた。アメリカで未来を形作ろうとしている者は、オーウェルの「現在を支配する者が過去を支配する」という残りの警告を含めてこれを心得ている。わたしたちは、かつてのわたしたちではない。ここでの「わたしたち」とは、非白人が、数の上でも認知度でも力でも増大しているにもかかわらず、数え切れないほどの点で社会の主流から取り残されている国の市民のことである。人種差別はあまりにも深く根付いているため、奴隷所有者を讃えることをやめるためには、市や郡やワシントンという州の名前まで変えなければならない。性差別はあまりにも深く侵蝕しているため、道や広場には歴史上の偉大な女性たちの名前がほとんど見当たらない。暴力の遺産の特徴を伝える景観に対して何をなすべきだろうか。すでに建っているものを取り壊すべきなのか？　新しい建物や新しい記念碑を建てることで同等にしていくべきなのか？　すでにそこにあるものを、改めて文脈化するか、改善するべきなのか？

四半世紀前、アラバマ州バーミングハムで、公民権運動を記念して一連の彫刻が建てられた。もっとも衝撃的な作品は、市立公園の歩行者用道路の脇に立っているジェームズ・ドレイクというアーティストの作品だ。ブロンズとスチールでできた犬たちが片側の壁から飛び出し、あたかも通りかかった人を食いちぎろうとするかのように歯をむき出して飛びかかり、反対側の地面に入り込む。かつてこの地で人びとが直面した暴力を理解するためには、その暴力のほんのわずかなものでも体験する必要がある、というのがこの彫刻の意図である。公的機関による残虐行為が起こった場所に公式の記念碑が建てられるというのは、稀なことである。

歴史は、物理学とは異なり、すべての作用に対して同等あるいは逆の反応があるわけではなく、ときに奇妙なかたちで前進する。二〇一五年六月、サウスカロライナ州チャールストンのエマニュエル・アフリカン・メソジスト監督教会で九人の黒人が殺された。チャールストンは多くの場所に南軍旗〔連合国国旗〕が掲げられている市でもある。人種戦争の火蓋を切ることを意図した血みどろの大量殺人は、逆の象徴的な効果を持っていた。南軍旗が人種差別の暴力と関連を持つという事実と向き合うことを余儀なくされたのだ。

南軍旗は歴史の象徴だというのが、擁護する者の標準的な説だ。しかし、サウスカロライナ州で南軍旗が飾られるようになったのは一九世紀のことではない。最初に州議会の議事堂に掲げられたのは、南北戦争一〇〇周年の記念として直示的に復活させた一九六一年のことだった。だが、〔南北戦争の追悼というよりも〕実際には〔連合国からアメリカ合衆国への〕統合反対を象徴するものだった。チャールストンの大量殺人の後、社会活動家のブリー・ニューサムが州議事堂の旗竿をよじ登って南軍旗を降ろし、逮捕された。一か月後、ジム・クロウ法に別れを告げる節目として、議員たちはようやく南軍旗を永久的に降ろすよう命じた。

南部全域を通して、公的な記憶が変貌しつつある。というか、これまで見過ごされていた歴史の多様な様相を認めるという形で、少なくとも拡大している。サウスカロライナ州のアビヴィルは、収穫した作物の価格をめぐって白人と口論し、そのために集団リンチを受け、拷問され、銃で撃たれ、首を吊られた〔黒人の〕アンソニー・クローフォードの記念碑を、一〇〇年後の二〇一六年一〇月に披露した。アラバマ州モンゴメリー市では、イコール・ジャスティス・イニシアチヴ[71]が、四〇〇〇人以上のリンチされた黒人犠牲者の記念碑を建てている。この市には、ローザ・パークス博物館もある。

こういった進歩の多くは猛烈な抵抗にあう。ニューオリンズの一等地であるカナル・ストリートにあったクレッセントシティ・ホワイトリーグを讃えるオベリスクが一九八九年に撤去されたときがそうだった。クー・クラックス・クラン[72]の〔元最高幹部で〕偉大な魔法使いのデイヴィッド・デュークの支持者が訴訟を率いて成功させ、クランが数多くの行進をスタートさせた史跡が市内の目につく場所に残るようにした。一九九三年、オベリスクは元の場所から一ブロック離れた、前よりも目だたない場所に設置された。

二〇一四年、ジャズミュージシャンのウィントン・マルサリスは、当時の〔ニューオリンズ〕市長だった白人のミッチ・ランドリューに、そびえ立つリー将軍の彫像を見るよう求めた。「私の目を通して見るのを助けてあげましょう。彼は誰ですか？　彼は何を代表しているのですか？　そして、この像はニューオリンズでもっとも重要な場所にありますが、この場所が反映しているのは、過去の市民、現在の市民、未来の市民の誰なのですか？」

その一年後、市長は南軍〔連合国〕を讃えるほかの記念碑と一緒に彫像を撤去することを市に提案した。だが、そのために市職員らは脅しを受け、彫像撤去の仕事を引き受けた業者は殺害の脅迫を受けて撤退した。

彫像撤去の遅れに対して募った市民のフラストレーションは定期的に爆発し、あからさまな衝突になった。二〇一六年、アフリカ系アメリカ人が率いる社会活動団体のテイク・ゼム・ダウンNOLAが、フレンチクォーターの中心地にある〔第七代大統領〕アンドリュー・ジャクソンの像の前で抗議運動を始めた。ジャクソンは、アメリカ先住民と戦い、奴隷を所有して売買し、一八三〇年にインディアン強制移住法に署名してチェロキー族、チョクトー族、セミノール族その他の南東部に在住していた先住民族から土地を奪った。ジャクソン・スクエアになだれ込んだ数百人のデモ参加者が見出したのは、ジャクソンの像がバリケードの陰に隠され、警察から守られていた光景だった。その間にも、デモに反対する抗議グループが活動家たちを妨害しようとしていた。デイヴィッド・デューク本人がジャクソン・スクエアに現れると、言い争いが起き、小競り合いの最中に警察が七人を逮捕した。その中には、デュークの手からメガホンを奪い取った白髪の女性も含まれていた。

彫像はそのまま残されたが、デュークの支持者らは崩壊の運命にあることを案じたようだ。ある者は、デュークのウェブサイトに「戦利品は勝者のもの[73]であり、征服された者に屈辱を与える権利

---

(71) 差別や偏見により公平な法の裁きを得ることができなかった人に法的な支援をする非営利団体。
(72) 白人至上主義の秘密結社。
(73) 慣用句。戦争や競争に勝った者が財や権力を得るという意味。

も勝者のものだ。そのもっとも象徴的な手段のひとつが、敗者側の彫像や記念碑を破壊することだ」というコメントを書いた。

このコメントは核心をついている。敗北を見るとしたら、ベルリンが最適の場所かもしれない。ベルリンは、美術館、彫像、記念碑、その他の「備忘録」を圧倒的に並べることで、この市が第三帝国で果たした役割と縁を切った。なかでもとくに劇的なのが、ヨーロッパで殺害されたユダヤ人を追悼する五エーカー〔約二万平方メートル〕にわたる記念碑だ。高さは異なるが幅と長さは均等の三〇〇〇近い茶色いコンクリートの柱が格子状に配置され、まるでミニチュアの都市のようだ。不在の都市、言葉のない記念碑で、歩き回ると不気味さが漂う。二〇〇五年に完成したときには、ホロコーストのユダヤ人犠牲者のみを追悼していた。だが、のちにゲイやロマ〔ジプシー〕の犠牲者のモニュメントも加える修正をした。かつてのナチス親衛隊の本拠地も、大虐殺を記念するものになっている。ユダヤ人博物館も同様の役割を果たしている。

「つまずきの石」というのもある。ドイツ語での「Stolperstein」は、文字通りに歩いているとつまずく石だ。そして、歩いているうちにつまずいて偶然に発見する「何か」も意味している。ドイツ人芸術家のグンター・デムニヒは、ホロコーストの犠牲者が連れ去られた家の前の路上に約四インチ四方の小さなブロンズの碑を埋め込み、それは一九九六年から現在までに五万以上になっている。犠牲者には、ユダヤ人だけでなく、エホバの証人、ロマ、同性愛者、ナチスに反対した人たちも含まれる。デムニヒのウェブサイトによると、「つまずきの石」のプロジェクトは、現在も寄付とヤド・ヴァシェム[74]のアーカイブにあるデータを使ってつづいている。デムニヒは、小さな金色の記念碑を、毎月四五〇ほど注意深く作る。

記憶は、思いがけず出くわすときに、人びとの時間と場所の感覚を揺さぶり、すっかり忘れ去られるのを防ぐ。少なくとも、「つまずきの石」のような小さな挿入の場合には。場所には記憶があり、わたしたちはそこで起こった出来事を覚えていなければならないと主張する、あちこちにちりばめられたこのプロジェクトは、ドイツやそれ以外の国の都市にも設置されている。記憶もまた、死ぬか、あるいは生かされつづける。誰がどのように記憶され、それを決めるのは誰なのか。その答えは非常に政治的だ。わたしたちが生活している物理的な空間は、影像、名前、象徴といったものを通じて過去を操作する。

ニューオリンズでは、〔南軍を讃える〕記念碑がまだ建っている場所には南軍旗も掲げられている。依然として、アーティストや社会活動家たちは、全米の公共の場で介入をしている。ある介入は入念なものであり、別のものはより即興的だ。ビスマークの開拓者の記念碑が与える屈辱は、「我々の母を守ろう」とペンキで書かれたベッドシーツで覆うことで一時的に解決した。ニューオリンズでは、ジェファーソン・デイヴィス[75]の記念碑の説明書きの銘板に、そこから除外されている史実に注意を惹くことをねらった「奴隷所有者」という落書きがスプレーで書かれた。二〇一五年のメモリアル・デー[76]に、コンセプチュアル・アーティストのジョン・シムズは、南部の一三の州で南軍旗

(74) ホロコーストの犠牲者を追悼するイスラエルの国立記念館。
(75) アメリカ南北戦争で分離独立した連合国における唯一の大統領。

を燃やして埋葬する計画を立てた。「南軍旗は、旗竿についた「Nワード」[77]だ」とシムズは言った。埋葬のひとつは、リー・サークルで行なわれた。

進歩主義者が連邦政府で権力を持たない時代には、人権と人種間の平等への働きかけの大部分が州や地方自治体レベルに委ねられていた。トランプ時代には、この焦点の変更は必要不可欠になる。わたしたちがもし進歩するのであれば、それは、自分たちのコミュニティや市議会や近隣の集まりや街頭で取る行動を通して起こることだ。修正主義者のゲリラが攻撃をしかけてきたら、それに対抗する闘いはもっとも強力で痛烈なものになることだろう。

一五九八年にスペインから植民地総督のファン・デ・オニャーテが到着した四〇〇周年を記念して、ニューメキシコ州サンタ・フェ北部に彫像が建てられた。この地で、先住民族のプエブロは、銀の糸のようなリオ・グランデ川に沿ってビーズ玉のようにつながれた。先住民族の記憶は長く、抵抗して立ち上がったアコマ・プエブロ[78]の男たちの右足を切り落としたオニャーテのことを、いまだに許してはいない。それで、この像が建てられてから数年後のある夜、拍車つきのブーツを履いた彫像の足が切断された。この事件に関わったと主張する者から『アルバカーキ・ジャーナル』紙の編集部に宛てた手紙には、「彼の遠征を語らねばならないのなら、そのすべてについて真実を話すべきだ」とあった。

偽りのない真実とは何だろう。どうやったらそれにたどり着くことができるのだろう。記念碑をめぐる闘いにおいては、考古学的な遺跡か、あるいは犯罪現場のように、歴史を掘りかえすことで、新しい結論に達し、新たな英雄を指名し、過去を再考し、未来に向けて方向変換をするチャンスがある。一部の階級の人びとは新しい学びを受け入れ、別の者は非難されるだろう。ときには、公開討論が具体的なものを生み出すことがある。マンハッタン南端部には、奴隷所有者だったジョージ・ワシントンの壮大な像がフェデラル・ホールの番をするように一八八二年から建っている。しかし、そこから数ブロック離れたところには、マスター・ナラティヴに対位するわずかなものとして、一八世紀にはウォール街に奴隷取引市場があったことを思い出させる標識が最近になって設置された。

山頂にいる男たちは、下にいる者に向かって「競技の場は公平だ」と叫ぶ。奈落の底にいる者は、その意見に賛成しないことを叫び返す。

自分の支持者に向けてシンプルな――嘘の歴史の説明を与え、空想上の古い時代への懐古の情を煽り、勝利を取り戻すことを呼びかけたところが、トランプの恥ずべき天才ぶりだ。白人国粋主義者はトランプの勝利により、この鋳型で歴史を書き換えつづけること、あるいは、わたしたちが改訂した歴史を消すことを、力づけられた。彼らの捏造に対する最良の抵抗は、シンプルなストーリーを別のシンプルなストーリーに置き換えることではない。それよりも、相反する詳細と、複雑な

(76) 戦没将兵追悼記念日。南北戦争後の追悼行事に端を発し、現在はアメリカの連邦政府が五月の最終月曜日と定めている。
(77) 黒人を侮蔑する差別語「ニガー」を指す。英語圏では使用が厳に慎まれている。
(78) ニューメキシコ州中部の台地にある先住民族プエブロの集落、および、その共同体。スカイシティとも呼ばれる。

事実を加えることだ。この国の過去の醜い形跡をすべて消し去るのは不可能だし、賢明ではない。それに成功したら、景観のロボトミーになってしまう。それに、いまある彫像が排他主義を強調するものであり、現状への侮辱であることが忘れられないのと同時に、現在の新しい観点が、多様性や平等の最終的な実現からは程遠いことを覚えておくべきである。わたしたちの貢献を、後世の人びとは変化させるか、元に戻すだろう。そして、わたしたちがいまだに理解していない犯罪で、わたしたちを罵るだろう。彫像は静かに立ちつづけ、文化はそれを通り過ぎる。

ところが、二〇一七年五月、ニューオリンズにある四つの南軍の像が倒されたのだ。ニューオリンズは、南軍から脱退した。そして、多くの都市や大学のキャンパスがそれにつづいた。わたしたちはまだ南軍を過去に置き去りにしていない。だが、闘いには再び加わったのだ。

社会の一員になる八〇〇万の方法

Eight Million Ways to Belong (2016. 10. 20)

ドナルド・トランプ様

拝啓　あなたはニューヨークにお住まいだということですが、実際にこの市を歩き回ったことがおありなのか疑問に思っています。〔もしそうでないなら、〕おすすめします。なぜなら、選挙キャンペーン中、とくに最後のディベートでわたしが耳にした、あなたの数々の決めつけを脆くする、美しさや壮麗さがあるからです。まず、この都市の八〇〇万人あまりの住民は、移民、イスラム教徒、黒人、メキシコ人、さらに「黒人で、イスラム教徒で、移民」というすべてが揃った素晴らしい人びとが、かなりの割合を占めています。白人は住民のほんの三分の一に過ぎません。多くの不法滞在の移民やイスラム教徒が一気にここに押し寄せたら問題が起こるとあなたは言います。そこで、悪いお知らせをしましょう。彼らはもうここにいますし、かなりうまくいっているようです。

あなたは、ジェット機に向かうリムジンに身体を押し込むとき以外に、自分のタワーから降りることはあるのでしょうか。あなたは移民を罵りますけれど、ニューヨーク市の住民の三七%つまり三分の一以上は移民ですよ。五〇万人の住民は不法滞在者で、この市を動かしているもっとも働き者の人たちのかなりの部分は彼らです。彼らを追いやったら、レストランやホテル業界は崩壊して危機状態になるでしょう。マイケル・ブルームバーグ前市長によると、ニューヨーク市の不法滞在者の七五%は、あなたとはちがって、税金を払っています。前市長は、このグループの犯罪率が低いことも指摘しています。概して、その人が用務員であれ、医師であれ、移民がこの市を活気づけて豊かにしているのです。

あなたが育った区であるクイーンズにでかけてみるべきです。現在では、世界でもっとも言語的に多様性がある場所になっています。〔ニューヨークで話されていると言われる〕八〇〇の言語のほとんどを耳にするのが、市のこのあたりです。ニューヨークでもっとも魅力的な機関のひとつである「消滅危機言語同盟(Endangered Language Alliance)」からわたしが学んだのは、ここで話されている多くの言語が消えつつある言葉だということです。難民としてここに来た人たちは、文化も一緒に持ち込みました。ヒマラヤやアンデス山脈からの言語を話せる残り少ない人びとの一部はここにいて、この場所を、多くの世界が調和し、多くの言語が属する世界にしています。そして、わたしの母の祖父母がアイルランドでの飢餓と差別から逃れてきたときや、わたしの父の両親が、あなたが煽動しているような計画から逃れてエリス島を通り抜けたときと同じように、ここは避難場所でもあるのです。

あなたは、イスラム教徒をあたかも危険なよそ者のように扱っていますが、ニューヨークの素晴らしい宗教学者トニー・カーネスによると、あなたが住んでいると主張される都市には二八五のモスクがあり、四〇万人から八〇万人ほどのイスラム教徒が住んでいるそうです。あなたは、この事実に無知でいらっしゃるようですね。つまり、ニューヨーカーの一〇人に一人か二〇人に一人は、イスラム教の信仰者ということです。オーランド市の大量殺人犯(79)を含むひと握りのイスラム教徒は悪いことをしました。けれども、どれほど多くのイスラム教徒がいるのかを認めれば、たった数人が行なったことで何百万人を悪者扱いするのをやめることができます。

そして、そのオーランドの殺人者ですが、彼は同性愛嫌悪(ホモフォビア)で、銃を容易に入手でき、ドメスティック・バイオレンスを犯した過去がありました。これらは、わたしたちが取り組むべき国内の問題であり、外国からの輸入ではありません。ニューヨークは、ゲイとレズビアンの人びとを差別から解放する道も開きました。というか、全米とその外にまで解放を広めるキャンペーンやプロジェクト、やすらいの場所、コミュニティを通じて、自分たち自身を解放したのです。わたしは、ウエストヴィレッジにあるストーンウォール・イン(80)ではじめてドリンクを飲んだところですが、五〇年ほど前に起きた反乱と抵抗が対話の方向性を変えて〔同性愛者の〕人権獲得を推し進めた場所に来て、

(79) フロリダ州オーランド市で二〇一六年六月一二日に起きた銃乱射事件の容疑者のこと。容疑者自身を含め五〇人が死亡した。

(80) ゲイ・バー。一九六九年、この店への警察の執拗な取り締まりをきっかけに「ストーンウォールの反乱」と呼ばれる大規模な衝突が起き、ＬＧＢＴの権利擁護の運動が活発化するきっかけとなった。

とてもワクワクしました。

　でも、ゲイやレズビアンの住民ではなく、イスラム教徒について話していたのですよね。むろん、ここにはあらゆる人がいるので、ゲイのイスラム教徒も含まれるでしょうが。ここにいるのはすべての人です。ニューヨーク市のイスラム教徒は、タクシーの運転手であり、マンハッタンのあちこちにあるハラルフードの屋台の中にいる人であり、弁護士であり、学者であり、教授であり、プログラマーであり、デザイナーです。父親であり、幼児であり、祖母であり、高校生なのです。この市のとても素晴らしいことのひとつは、カテゴリの分類の交差がいかにも複雑なところです。多くのイスラム教徒は、アフリカかアジアからの移民かその子ども、あるいは孫です。けれども、かなりの割合を占めるのは、あなたやわたしよりも、この国の歴史に深く根を下ろすアフリカ系アメリカ人なのです。彼らの祖先がこの土地を築き上げたのです。ウォール街の名前の由来になった「ウォール（壁）」を文字通り築き上げたことも含めて。

　アフリカ系アメリカ人といえば、ハーレムかブロンクスに行ったことがありますか？　あなたは、まるで黒人に会ったことがないか、黒人の住民が多い地区を訪問したことがないかのように黒人について語りつづけていますよね。マジな話、〔大統領選の〕最後のディベートで、あなたは「わが国の都心部は最悪だ。店に足を踏み入れたら銃で撃たれる。教育をまったく受けていない。職にもついていない。（クリントンが）一〇回の人生で達成できることより、僕のほうがアフリカ系アメリカ人やラテン系のために多くのことをやってやれる。彼女がやったのは、アフリカ系アメリカ人やラテン系と会話しただけだ」と言いましたよね。マジですか？　それって、テレビで観たこと？　一九七五年の？　ニューヨーク市では高校を卒業する生徒の割合は七〇％で、黒人とラテン系のティーンではそれより少し低いだけで、失業率も五％程度です。ところで、人びとと会話するのは、自分がいる場所とそこにいる人を理解するのにとても素晴らしい方法ですよ。あなたも試してみるべきです。「都心部」というのは、ニューヨークなどの都市の数々が土地の売却と人口減少で崩壊しかけ、犯罪率が実際に高かった頃の、古くさい残り物の表現です（ニュース速報：シカゴでのしゃっくり〔程度の騒乱〕をくどくどと話しておられますが、犯罪率は過去二五年間、全国で減少しています）。「都市部」について語るときのあなたは、四〇年ほど時代遅れに聞こえますよ。

いつか、ブームタウン[81]になっている現在のニューヨークを視察するべきです。たとえばハーレムですが、ここはアメリカ合衆国の偉大な文化の中心地であり、少なくとも過去一世紀にわたってアメリカ合衆国での黒人文化の偉大な心臓部であり、この国のもっとも偉大な作家の何人かが育ち、人生を終える場所です。優れた教育を受け、素晴らしい仕事を持つ人びとであふれており、そうではないと言うのは、無知であるだけでなく、人種差別です。犯罪だらけの場所でもありません。ジェントリフィケーションとそれによる立ち退きを犯罪と呼ぶなら別ですが。あなたがそう呼ばないことはわかっていますが、文化の記憶や土地の継続性が削り取られ、脆弱な者がターゲットにされるのを見るとき、わたしはときどき、それが犯罪だと思うのです。けれども、不動産投機であなたとわたしの意見が合わないことはわかりきっているので、次に進みましょう。

（81）　繁栄して急速に成長している都市や町。

マジで、とにかくニューヨークをちゃんと見てくださいよ。すごく広大ですよ。そして、素晴らしい。何よりも、偉大なラテンアメリカの都市です。ここでもっともよく聴かれているラジオ局はスペイン語のものだって知ってましたか？　そして、昼間の番組のＤＪのアレックス・センセーションはコロンビアからの移民で、アメリカのトップ市場でトップのラジオ番組を持っているって、知ってました？　彼の番組は、多くのラテン系の音楽をミックスしています。ニューヨークは、キューバ人、ドミニカ人、コロンビア人、グアテマラ人などがみな集まってくるラテン系アメリカ人の首都だからです。この偉大な文化の混じり合いの中、サルサ音楽が進化し、サウスブロンクスで生まれたヒップホップやラップとともに、アメリカ合衆国のとりわけ大きな輸出品のひとつとして海外に渡っていきました。そして、現在では、カナダのイヌイットから中央アフリカまで、ポップカルチャーの極めて重要な要素になっているのです。

ここは、世界中から来た難民にとってずっと解放の地でした。そして、あなたが〔政府からの〕資金援助を停止すると脅している全米家族計画連盟などのこの地で生まれた機関や、あなたが非難したブラック・ライヴズ・マターなどのグループにとっても、ずっと解放の地だったのです。あなたがニューヨークを見聞したことがないのは、そのためかもしれませんね。この市はあなたに同意しないし、あなたのイデオロギーを脆くしますから。たくさんのニューヨークが存在していて、誰もが自分のニューヨークを選ぶことができるのです。けれども、裕福な白人のニューヨークは、この市の小さな一切れでしかありません。それ以外に、何千もの生き方や働き方、何百もの言語、何十もの宗教を持つ、一〇〇〇のニューヨークがあり、それらすべてが毎日、地下鉄のプラットフォームや街角や公園や病院やキッチンや公立学校で混じり合うのです。普通のニューヨーカーたちは、外に出かけていって混じり合うので、違いを持ちながらのこの共存は、真の民主的精神のための美しい基盤です。それは、お互いを信頼し合い、公共の場で混じり合うことで文字通り（そして比喩的にも）共通の土台を見つけられるという信念です。

あなたに外に出かけていって混じり合う心構えがないのなら、とても短い読み取りの課題をさしあげましょう。いくつかお金を読んでみなさい。大金のほうではありません。ダイム〔一〇セント硬貨〕をごらんなさい。「エ・プルリブス・ウヌム」と書いてありますよね。「多数からひとつへ」〔という意味のラテン語〕。これは、建国のときからのこの国の主要モットーのひとつです。それは、素晴らしい共存の場所であるわたしたちの数々の都市で実現されています。違いに寛大であるだけでなく、共存の中に歓びを見出し、共存のために愛することです。他家受粉、血族結婚、異種交配、そして、わたしたちが一体になるときにそれぞれが持ち寄った違いが新しいかたちを作り上げることです。それが、アメリカが怒っておらず、対立しておらず、不平等ではなく、騙されておらず、偉大であるときに、アメリカを偉大にしている多くのものです。それは、まさにここに、わたしたちの周りに、大きな都市に存在するのです。

敬具

レベッカ・ソルニット

スタンディングロックからの光

The Light from Standing Rock (2016)

誰もそれを予期していなかった。二〇一六年一二月四日の日曜日、突然、アメリカ陸軍工兵部隊がスタンディングロックのスー族居留地のちょうど上にあるミズーリ川の下でのダコタ・アクセス・パイプライン（DAPL）建設許可を撤回するという情報が流れた。この勝利をどう扱えばよいのだろう？ ソーシャルメディアでは、多くの人が、これは、「サンタクロースは本物だ」とか「すべては永久に大丈夫だ」といった最終的で完璧な類の勝利ではなく、祝うべきではないと警告した。だが、そうした勝利を待っていたら、どちらにしても祝う機会は永遠にない。けれども、この抗議運動にもっとも関わっていた人たちは、これは物語の終わりではないにしてもとても良い章であり、この章を祝ってよいとわかっているようだった。そして、実際にスタンディングロックで、世界中で、陽気なお祭り騒ぎをして祝った。

これは、最終的な勝利ではない。ドナルド・トランプは、このパイプラインだけでなく、すべてのパイプラインが建設されるよう全力を尽くしている。この時点でそれは確かだ。そうだとしても、これは本当に大きな勝利なのかもしれない。

エネルギー経済・財務分析研究所は、二〇一六年一一月発表の研究にこう記載した。「ETP（エネルギー・トランスファー・パートナーズ）が二〇一四年に最初に提案して以来、このプロジェクトについてのより幅広い経済的状況が劇的に変化した。DAPLを使用することを輸送会社が約束したたった数か月後に世界の石油価格が暴落し始め、市場予測の専門家は、少なくともあと一〇年は、二〇一四年の水準まで価格が回復しないと考えている。その結果、バッケン・シェール石油埋蔵地帯の産出量は、ほぼ二年つづけて減少している」。プロジェクトが二〇一七年一月一日までに完成すれば、輸送会社から二〇一四年の石油価格で固定された支払いがある。パイプラインの利益は、そこから得られることになっている。

だが、アメリカ陸軍工兵部隊からのこの贈り物により、〔二〇一七年一月一日の完成は〕ほぼありえなくなった。これは大きな打撃だ。研究報告はこう結論づけている。「生産量が落ちつづけたら、主に二〇一四年に交渉された有利な契約条件を守るために完成を急いだDAPLは、取り残された資産になる可能性がある」。投資家ではない人にはとても良いニュースであり、勝利の重要性を際立たせるニュースでもある。

スタンディングロックの美しい闘いから学ぶことは多いのだが、それぞれが独自の結論を導き出すことだろう。わたしの学びは、次に何が起こるかわからぬことを認めること、そして、行動規範、直感、歴史からの教訓の重要性だ。スタンディングロックで何が起こり、何がけっして起こらないか多くの人が予告したが、それらは間違っていた。誰もこれが起こるとは予想していなかった。

もうひとつの学びは、自分が信じることのために立ち上がることだ。たとえ勝利がほど遠いか、不可能に見えても。一二月四日の日曜日はパイプラインの勝利だった。その翌日は、モンゴメリー・バス・ボイコットが始まって六一周年の記念日だった。ジム・クロウ法の下で暮らしていたアフリカ系アメリカ人は何を夢見たのだろうか？　それは公共交通システムを平等にすること以上のものだったに違いない。この運動が、国を変えて国の法律策定を導く運動の立ち上げを後押しただけでなく、非暴力の戦略とビジョンの道具箱を世界に提供し、南アフリカ、エジプト、チェコスロヴァキア、フィリピンで使われるようになるとは予想もしなかっただろう。けれども彼らは、未来が過去とは異なると確信し、そうなるようにあらゆる手を尽くした。いまこの時、公民権運動での勝利が危機にさらされているように感じる。だからこそ一層、それらが勝利であったことを認め、勝利が程遠く感じるときには、それぞれの勝利が流血や痛みや献身によって達成されたものだということを覚えていなければならないのだ。

そこがまた重要な点でもある。結果というのは、しばしば間接的なものなのだ。スタンディングロックでの運動はパイプライン建設を止めるかもしれない。そうなるかどうかにかかわらず、この運動は、単一のものとしては、史上もっとも多くの北米先住民（カナダとアメリカ合衆国）が集まる最大の集会をもたらした。また、連帯した多国籍ネットワークの成長にとっては、深くて感動的なヤマ場になり、文化的なアイデンティティと政治的な権利の肯定にもなっている。この運動は、環境運動と人権運動はしばしば切り離すことができないということをまたしても証明した。そして、全世界で先住民族が気候変動の最前線にいることを、先住民族ではない多くの人びとが彼らの文化を尊敬してリーダーシップを求めていることを、わたしたちに思い出させた。わたしたちが予見できない多くのことが、この集会やそのビジョン、戦術、パワーから生まれるかもしれない。

右翼と白人至上主義者が勝ち誇っているいまこの時、暴行、罵り、ナチスの鉤十字、脅しなど多くのヘイトクライムを耳にする。だが、別の信念や人種的正義、弱者、女性、LGBTQ、科学、民主主義のために立ち上がる人びとという、別のアメリカも目につくようになっている。首都の界隈でも、マイク・ペンス副大統領[82]が引っ越してくるのをレインボーの旗[83]で歓迎した人びとや、迫害を受けた者を擁護する人びとや、人びとと場所と価値観と民主主義そのものを守る壮大な願望を持っている別のアメリカを目にする。現在は激動の時代であり、その中に多くの可能性がある。スタンディングロックはこの可能性を前もって示すモデルになり、その美しさで輝いていた。

わたしは、天候に恵まれ緑色の景色が広がる二〇一六年九月上旬にスタンディングロックに行った。そこにいる間に、先住民環境ネットワークのダラス・ゴールドトゥースにこの手本は何だったのか尋ねた。彼の幼い子どもたちが動き回るミニバンの後部席に座り、道の向かいからやってきた少年と握手しながら彼はこう言った。「正直言って、何もありません。比較できるものはまったくありません。一八〇の異なる部族が団結の手紙を送ってきました」。スー族とデネ族であるゴールドトゥースは、この抵抗のために、気候変動対策グループと環境保護団体とともに、アメリカ合衆

(82) インディアナ州知事のときにLGBTQの差別を認める法に署名した。
(83) LGBTQの尊厳と社会運動を象徴する旗。

国とカナダ全域の部族から前例がない支援を受けたことを説明した。これは、先住民族の権利と気候変動運動両方の未来にとって多大な可能性を秘めた同盟である。

この歓喜は広まっている。到着したとき最初に会った人物はカリフォルニア州北端から来たフーパ／ユーコン族の若い女性で、この抵抗運動はこれまで関わった中でもっとも素晴らしいものだと語ってくれた。翌朝、小柄な男がわたしに近づいて歓迎してくれ、フランクと名乗り、スタンディングロック・スー族の一員で〔部族での名前は〕「ちょうどここから」だと自己紹介した。会話の途中で彼は「私は毎日、このことについて幸せに目覚めるのです」と語った。過去一五〇年にわたってラコタ族とスー族が直面した敗北と喪失の数々を考えていたわたしは、これが過去をどう変えたのか尋ねた。だが、彼はわたしの質問を異なるように受け取ったようだ。彼は、旧敵のクロウ族やシャイアン族が自分たちを支持するためにやってきたことを語り、古い分断は終わったと言った。この質問をしたとき、わたしは、この地と長く関わり、少し前にこのキャンプで過ごした気候活動家で環境問題専門弁護士のキャロリン・ラフェンスパーガーから聞いたことを思い出していた。「過去と未来を癒やせる歴史的な瞬間というものがある」と彼女は言った。

この後、過酷な冬になっても粘り強く居残った人びとは、安楽よりも理想を重視し、自分の安全よりも川の健全さや先住民族の権利や原理を気遣い、英雄的だった。祈りに導かれ、平和を誓い、そうすることで長い時間をかけて何かが起こるかもしれないという努力は、あらゆる意味で気高いものだった。そこに、先住民族と一緒になって権力に抵抗するために何千人もの退役軍人がやってきた。その次に起こったのが、陸軍工兵隊の〔パイプライン建設から撤退する〕決定だった。

最後に、スタンディングロックがわたしたちに思い出させてくれるのは、理想を守るために一丸となったとき、わたしたちはとてもパワフルになるということだ。ときには、可能性のモデルになり、今後起こることや、別の場所で起こることへの希望と道徳的な補強を提供するという、直接的ではない方法のみによって。そして、ときには直接的な方法で、わたしたちは歴史を作り直す。

アメリカ北部の先住民族が土地を追い立てられて人間性を奪われてから五世紀めに差しかかり、四〇〇〇人のアメリカ退役軍人がやってきて先住民と一緒に立ち上がったとき、大きな何かを勝ち取ったとき、起こっている犯罪や略奪がほぼ無視されている場所のひとつに世界が目を向けるとき、それは重要な瞬間になった。退役軍人たちが、アメリカ陸軍による略奪を謝罪し、許しを求めたときもそうだった。そして、一二月四日、そこにいた人びと、銀行で抗議運動をしていた人びと、手紙を書いていた人びと、寄付を送っていた人びと、国中でデモ行進を組織した人びと、その全員が祝う価値のある何かを勝ち取ったのだ。わたしたちは、あらゆる局面で多くの難問に直面している。スタンディングロックは、団結して立ち上がることをわたしたちに思い出させてくれる。

Ⅳ　可能性

POSSIBILITIES

ブレイク・ザ・ストーリー

Break the Story (2016)[*1]

ジャーナリストが使う「ブレイク・ザ・ストーリー」という言い回しは、スクープすることであり、誰よりも先に何かを伝えることです。けれども、わたしにとっては、もっと奥深い響きのある表現です。大統領選や教育委員会の会議のように大きなものから小さなものまで、いかなる出来事であっても、〔ジャーナリストになる〕みなさんが報じるときには、起きたばかりのことについてのストーリーを持ち帰らなければなりません。けれども、もちろんですが、ストーリーはわたしたちを包んでいる空気のようなものです。わたしたちはそれらを吸い込み、吐き出します。日常生活ですべてに意識的であるための技術とは、ストーリーをわたしたちに指図する見えない力にさせてしまうのではなく、ストーリーを見出してそれらを伝える人になることです。ストーリーを伝える公の語り部であるためには、この技術に加え、さらに大きな影響と責任を持つことが必要です。なぜなら、みなさんが伝えるストーリーは、現存のストーリーを弱めるか、あるいは強める、その流れの一部になるからです。みなさんの仕事は、秘められたストーリーだとか、昨日起きたことだとか、表層にあるストーリーについて記事を書くことです。それはまた、既に書かれて周囲にあるストーリーを見出し、こじ開け（ブレイク・オープン）、あるいは解きほぐし（ブレイク・アパート）、新旧のストーリーの間にある関係を理解することでもあります。

ストーリーの表面下にも周囲にも、またストーリーがあります。最近起こった出来事は、表層的にはしばしば、文化を動かしているストーリーである強大な社会のエンジンの上についたフードクレストマーク[84]にすぎません。それらをわたしたちは、「支配的物語（ドミナント・ナラティヴ）」、「支配的規範（パラダイム）」、「ミーム[85]」、「我々が行動の指針にしているメタファー」、あるいは「フレームワーク」などと呼びます。わたしたちがどう表現するにせよ、いずれも非常に強い力です。そして、支配的な文化は、それを支える柱を強化するものであり、その柱はあまりにも頻繁に、誰か別の人びとを閉じ込める檻の鉄格子となるのです。そういったストーリーのあまりにも多くのものは、解体（ブレイク）するべきものです。これらのストーリーは、すでに解体され、崩壊していて、賞味期限をとっくに過ぎていたとしても、いまだにダメージを与えつづけています。どうしてメディアは、アメリカで少人数しか殺さないテロリズムを従順に誇大広告し、一方で何百万人ものアメリカの女性たちを長年にわたって脅かし、一年に約一〇〇〇人を殺すドメスティック・バイオレンスのほとんどを矮小化するのでしょうか。わたしたちを実際に脅かし、殺しているものについてのストーリーを、みなさんはどうやって解き明かす（ブレイク）

（84）車のボンネットについている飾り。

（85）遺伝子のように継承される習慣や文化。

のでしょうか。

心に留めておくべきことのひとつは、ストーリーのライフサイクルと食物連鎖です。これまでのストーリーを解体（ブレイク）するストーリー、つまり新しいストーリーは、余白や周縁から生まれる傾向があります。実際にはガンディーの発言ではないのですが、「彼らは最初にあなたを無視し、次にあなたをあざ笑い、その後はあなたと闘い、そして、あなたは勝つ」という言葉があります。たいていの社会活動は、そのように作用するものです。そして、社会運動が勝利するときには、その勝利は、少なくとも部分的には、ストーリーが大多数に受け入れられる新しい物語（ナラティヴ）になったことに起因しています。こういうときに、ジャーナリズムは極めて重要な役割を果たします。みなさんは、ブラック・ライヴズ・マターが、この時代のストーリーを変えたことをご存知でしょう。この運動は、警察による有色人種の若者の殺人の蔓延と、その殺され方に光を当て、公職から脅されるのではなく守られる権利を含めた〔一般市民が持っている〕権利を、〔黒人の〕コミュニティ全体だけが与えられていないことを知らしめたのです。黒人コミュニティ内ではよく知られていたこのストーリーを、活動家たちがソーシャルメディアで火をつけ、それをニュースメディアが取り上げたのはご存知のとおりです。そうでなかったのなら、これらの事件は裏のページの小さな注意書き程度で終わり、全国ニュースで熱く討論される議題にはなっていなかったことでしょう。今や、わたしたちは〔警察官に殺された〕彼らの名前を知っています。エリック・ガーナー、マリオ・ウッズ、ウォルター・スコット、サンドラ・ブランド、タミール・ライスなど、多くの人びとです。ストーリーは周縁から中央に運ばれ、直接には影響を受けていないかなりの人たちが、当事者たちに賛同するようになったのです。

優れたストーリーテラーの仕事のひとつは、自分に割り当てられたストーリーの根底にあるストーリーをじっくり調べ、ときにはそれらを可視化し、ときにはそうしたものからわたしたちを解放（ブレイク・アス・フリー）することです。つまり、ストーリーをブレイクすることです。解くこと（ブレイキング）は、この種の執筆においては、つくること（メイキング）と同じくらい創造的な行動なのです。

多くの物書きが、それがあたかも素敵なことかのように、「世界は多くのストーリーでできている」などとたわごとを言って横着を決め込んでいます。けれども、世界はストーリーと同じ程度にしか素敵ではないのです。ストーリーのなかには、女性の怒りや黒人の怒りを悪しきものとし、白人男性の憤怒だけはその反対の扱いをするものがあります。資本主義は避けられないものだと伝えるストーリーや、気候変動の真実には賛否両論があるというストーリーも。あるいは、波風を立てるものだからとか、権力を持つ者にとって都合が悪いものだからとか、現状維持を揺るがすものだからという理由で、伝えられないままの数多くのストーリーがあります。これらのストーリーは、報じたら、ある種の人びとからとてつもなく嫌われます。けれども、そういった人びとに嫌われるのは素晴らしいことですし、愛されたい人びとに愛されるのは、それ以上に素晴らしいことです。

二〇〇五年、ニューオリンズは三重の災害に遭いました。ハリケーン[86]そのものは序の口で、イン

（86）二〇〇五年八月末にアメリカ南東部を直撃した、ハリケーン・カトリーナ。本文で後述されているように、レベッカ・ソルニット『災害ユートピア』（高月園子訳、亜紀書房）に詳しい。

フラの不備と何十年にもわたる劣悪な計画、その計画よりさらに劣悪な実施が、予測にたがわず大規模な人災を引き起こし、社会契約の失敗がさらに事態を深刻化させたのです。貧しい人びとは取り残され、溺れるか苦痛を味わうことになりました。そこにマスメディアが登場し、生き残ろうとしてもがいている人たちを犯罪者のように扱い、誰かが〔店で売られている〕テレビを盗んでいる可能性に執着し、死にかけているおばあさんやトラウマを抱えた幼児を救うよりも、テレビを守ることを重視しているのを明らかにしたのです。メディアは、一九〇六年にサンフランシスコで地震が起きたときに出来上がったお決まりのステレオタイプに、ふたたびしがみついたわけです。[87]

偶然のめぐりあわせで、わたしには、狂暴化した群衆がレイプや略奪、人殺しをするという筋書きに懐疑的になる心構えができていました。一九〇六年の地震についての調査と執筆をちょうど終えたところだったのです。これらの都市伝説は一九〇六年にも真実ではありませんでしたし、『ガーディアン』紙、『ニューヨーク・タイムズ』紙、『ワシントン・ポスト』紙、NBC、CBS、CNN、その他の多くのメディアがそうした現象を報じた二〇〇五年にも真実ではなかったのです。「彼らは群れをなして移動し、同じストーリーを報じる傾向がある」。〔作家、ジャーナリストの〕アダム・ホックシールドは少し前に、スペイン内戦のジャーナリストについて、そう語っていました。カトリーナという名の人為的な大災害の一〇周年に際し、わたしはこう書きました。

八〇%が水没したニューオリンズ市で、そのほとんどがアフリカ系アメリカ人である膨大な数の市民が、屋根の上や地面より高いところに作られた高速道路やコンベンションセンターや

〔多目的大規模スタジアムの〕スーパードームで身動きが取れなくなっていた。それなのに、救助したり市から離れるのを許可したりするには彼らは凶暴で危険すぎると、政府や主流メディアから悪者扱いされた。救助を申し出た部外者らは役人たちから追い返され、市外に逃れようとした人たちも阻止された。ニューオリンズは、悪意ある行政府の手により、牢獄になったのだ。昨年(二〇一五年)蜂起したボルチモアの人びとが[88]、いかに悪者扱いされたのか、そして、チェーン店や客を搾取する小切手現金化店が、突如として、多くのアメリカ人にとって最たる聖域になったことを考えると、同じような災害が再び起こることは容易に想像できる。

ニューオリンズでの人間性の抹殺や幽閉、そして、おびただしい数の死(そのほとんどはアフリカ系アメリカ人で、多くは老人であった)において、不起訴のままの共犯者は主流メディアだったし、今でもそうだ。主流メディアは、略奪、レイプ、襲撃団といった、いつもの災害物語をよりどころにして、黒人のことを、傷つきやすい困窮した災害の被害者というよりも、敵の怪物として悪者に仕立て上げるのにやっきになる。彼らは、人びとがヘリコプターを射撃しているとか、スーパードームに大量殺戮による巨大な死体の山があるといった妄想とか、あ

---

(87) 一九〇六年四月一八日にサンフランシスコ周辺を襲った大地震。大規模火災が発生した。『災害ユートピア』に、この地震についての論考も収められている。

(88) 二〇一五年四月、黒人青年が刃物を持っていたことを理由に逮捕された際に、警察から受けた暴行で死亡、抗議デモが拡大し、激しい衝突が起きた。

とでまったく根拠がないと判明した新しいストーリーをでっちあげた。

わたしにとって、これらは壊れた(ブロークン)ストーリー、あるいは壊す(ブレイク)必要があるストーリーです。カトリーナのあとでニューオリンズ市を訪問しつづけたわたしは、実際にそこで怖ろしい犯罪があったことに気づきました。市に押し寄せた記者の大群は、そうした犯罪を完全に見過ごしているか、まったく目に入っていないようでした。それは、下層階級(アンダークラス)による体制への犯罪ではなく、体制が下層階級に対して行なっている犯罪の数々、つまり警察官による殺人や白人の自警団員による犯罪でした。わたしは、情報源や関係者、写真、目につく場所に隠されていた手がかりやスクラップをかき集め、調査にとても長けたジャーナリストであるA・C・トンプソンに渡しました。彼は、その資料を使って取材を推し進めました。ニューオリンズに到着すると、彼は自力でほかのストーリーを、とくに武装していないのに背中を撃たれた黒人のヘンリー・グラヴァーについてのストーリーを、掘り起こしました。このストーリーは、警察官を刑務所に送りこみました。これは、めったに起こらないことです。わたし自身も、さらにいくつか記事を書き、災害時に人びとが実際にどのような行動を取るのかについて、『災害ユートピア』という本を書きました。

わたしがハリケーン・カトリーナの直後に実際に何が起きたのかをラジオ番組で話し、そのラジオ局から帰ろうとしたときのことです。車に乗ってカーラジオのスイッチを入れたら、A・Cが別の局でわたしと同じことを話していました。車の座席に座ったまま、わたしは考えました。わたしたちは、公式バージョンのストーリーを裏返したり、ひっくり返したりして、実際にブレイクしたのだと。二〇年後に人びとが覚えている二〇〇五年の歴史は、主流メディアにお馴染みの貧しい黒人たちや人間性全般を中傷するストーリーではなくなったのです。むろん、わたしたち二人が単独でやったことではありません。いつでも、長い時間をかけた共同作業のプロセスがストーリーをブレイクするのです。ストーリーのブレイクは、たいていの場合、社会活動家、目撃者、内部告発者、被害者、影響を受ける人びと、最前線にいる人びと、そのストーリーを直接体験した人びとから始まります。次のステップを引き受けるのは、多くの場合、耳を傾ける意志があり、ストーリーを伝えるパワーを持つ人びとです。出来事を最初から知っているジャーナリストはいませんし、一人称で出来事を知ることもありません。けれども、起こったことをほかの人に報じようとするなら、みなさんが最初に耳を傾ける人になるかもしれません。ただし、みなさんが、たとえどれほどうまく伝えても、どれほど大きく広めても、常に他者のストーリーであることが第一義であり、彼らのストーリーでなくなることはありません。

　二〇一六年三月、現代のもっとも偉大なジャーナリストのひとりであるベン・バグディキアンが亡くなりました。わたしがカリフォルニア大学バークレー校のジャーナリズム大学院で彼に教わっていた当時、バグディキアンはメディアの独占が民主主義にもたらす大きな脅威についてのストーリーを解き明か（ブレイク）しました。それよりもっと前には、彼はダニエル・エルズバーグがペンタゴン・ペーパーズを信頼して渡したジャーナリストでした。ペンタゴン・ペーパーズは四人の大統領がベトナム戦争に関してついた嘘を暴露し、戦争についてのストーリーをブレイクしました。わたしは幸運にも彼が教える倫理学の授業を取っており、「客観的になることはできませんが、公正であることはできます」とそこで教わりました。「客観的」というのは、あなたたちや主流メディアがたむろできる中立領域や政治的な無人地帯があるという、フィクションです。あなたが何を伝える価値があるものとみなすか、また、あなたが誰の文章を引用するのかといったことさえ、政治的な判断なのです。わたしたちは、極端な人たちをイデオロギー信者とみなし、中道を中立として扱う傾向があります。まるで、「車を持たない」という決意は政治的だけれど「車を持つ」という決意はそうではなく、「戦争支持」は中立だけれども「戦争反対」はそうではないといったように。非政治的でいることも、傍観者でいることもできませんし、中立領域もありません。わたしたちはみな、主体的に関わっているのです。

「アドボカシー・ジャーナリズム」という言葉は批判的に使われることが多いのですが、良い暴露記事のほとんどは〔見解の擁護や主張である〕アドボカシーです。もしあなたが、バグディキアンとエルズバーグがしたように大統領の嘘を暴露するとしたら、たぶんあなたは、大統領は嘘をつくべきではないと思っているのでしょう。企業が、たとえば水圧破砕法（フラッキング）で地下水を汚染していることを暴露するのであれば、たぶんあなたは有毒物質による汚染に賛成していないし、少なくとも人びとがそれを知ることを支持しているはずです。驚くべきことですが、人間や動物や土地が汚染されることを擁護する人はかなり多いのです。たいていの場合は、毒が有毒であることを否定するとか、あるいは、毒素がそこに存在することを知る権利を否定するといったかたちですが。汚染に反対する立場がときに物議を醸すのは、こういった理由からです。

物書きの仕事は、ほかの誰かが建てた家の窓から外を眺めることではなく、外に出て家の枠組に疑問を投げかけることです。あるいは、家を取り壊して中にあるものを自由にすることであり、視界から締め出されたものをほかの人が見えるようにすることなのです。ニュース・ジャーナリズムは、昨日、何が変わったのかに焦点を絞り、その背後にある勢力は何なのか、現時点での現状維持で得をする見えない受益者は誰なのか、といったことを問いかけようとしません。警察官が黒人を撃つ事件がありますます。この事件の詳細のほかに、みなさんは何を知る必要があるのでしょうか？それは、こういったことがどれほどの頻度で起こっているのか、それがコミュニティに長期的にどんな影響を与えるのか、いつもどう正当化されているのか、といったことです。だからこそ、みなさんが歴史学者ではなくジャーナリストであっても、歴史を知る必要があるのです。人びとがどのように事実の断片を寄せ集めて自分がすでに持っている認識に当てはめるのか、そのパターンを知らなければなりません。選択、誤解、歪曲、排除、脚色。ある対象には共感するが別の対象には共感しない。ある反響を記憶する、あるいは別の前例を忘却する。そうしたパターンです。

わたしたちが伝えなければならないニュースのいくつかは、例外的な出来事ではありません。それらはわたしたちの日常生活にある、〔見慣れてしまった〕醜い壁紙のようなものなのです。たとえば、「女性は」レイプされたと嘘をつくものだという信念が蔓延しています。「少数の女性は」ではなく、「特異な女性は」でもなく、「一般に女性は」嘘をつくというのです。こうした構想（フレームワーク）は、男性が持つ信頼性と信憑性は、女性が持つ不正直さと執念深さと同じくらい自然なことだという思い込みから生まれたものです。言い換えると、フェミニストがすべてでっちあげた嘘だというのです。さもなくば、家父長制度というニックネームのとても大きなストーリーを疑わなければならなくなります。ですが、データは、レイプされたことを名乗り出た人びとが全般的に真実を伝えていること（また、レイプ加害者は嘘をつく傾向がある。しかも多くの）を裏付けているのです。多くの人がデータに同調するようになっていますが、同調しない人も多くいます。そのため、すべての性暴力の報道の背後では、わたしたちが何を伝えるのか、ジェンダーと暴力について何を信じるのか、それらの条件についての闘いが繰り広げられているのです。

すべての劣悪なストーリーは〔誰かを閉じこめる〕刑務所になるのです。このストーリーを破壊（ブレイク）することで、誰かが刑務所から脱出（ブレイクアウト）することができます。これは解放活動です。重要なことなのです。それは世界を変えます。詩人が世界の真の立法者であるという、パーシー・ビッシュ・シェリーの有名な言葉があります。ジャーナリストは、立法や制度変更の機動力となる信念の体系をしばしば変える、「ストーリーブレイカー」なのです。それは、情熱と主体性と勇気を持って行なえば、力強く、高潔で、極めて必要不可欠な仕事になります。『スポットライト　世紀のスクープ』があれほど素晴らしい映画になったのは、カトリック教会内部で蔓延していた性虐待についてのストーリーを『ボストン・グローブ』紙の調査報道記者のチームがいかにスクープしたのかという部分ではありません。安楽な関係や信念を打ち砕くことがわかっているストーリーを、『ボストン・グローブ』紙がブレイクすることを長年避けてきたことも伝えている映画だからです。

主流メディアには、それほど右翼あるいは左翼のバイアスがあるわけではなく、現状維持のバイアスがあるのだと思います。現状維持バイアスとは、権威がある人びとを信じ、機関や企業、裕福な者や権力がある者、スーツを着たひとりよがりの白人男性ならほぼ誰でも信頼する傾向のことです。そして、既にしてお墨付きの嘘つきが、さらなる嘘をつくことを許し、その嘘を疑いもせずに報じることです。また、容易に否定できる文化的な偏見をそのままにして前進することであり、その人の信頼を傷つけ、嘲笑い、あるいは無視するというやり方で、ほとんどすべての部外者を貶めることです。このようにして、過去三〇年ほどにわたってわたしたちの経済がはるかに不公平なものになったという変化はうやむやにされ、主流メディアはイラクがアルカイダと9・11に何らかの関係があるというかこつけに追従しました。そして、化石燃料企業が資金提供した気候変動否定派が正当な見解を代表しているとして、権威ある科学者の大部分が合意する気候変動と同等の紙面や報道時間を割き、長期にわたってそれについての臆病な言い訳をしてきたのです。

ジャーナリストやほとんどの人にとって、「部屋の中にいる象[89]」は長年にわたり存在してきたものでした。それは象どころではありません。部屋の中の象は、部屋そのものであり、現在知られている宇宙に存在するすべての生命を取り囲む生物圏であり、すべてが依存するものであり、気候変動によって現在打撃を受けている生物圏であり、その気候変動によってさらにもたらされる変化なのです。そのスケールは、たぶん全面的な核戦争の脅威を除けば、人類がかつて直面したことがない、ジャーナリストも報じたことがない規模のものです。核戦争は起こる可能性はありますが、現在起こっていることではありません。けれども、気候変動はすでに起こっており、すべてを変えています。気候変動は、何よりも大きなことです。なぜなら、想像し得る未来において、これこそが

（89）英語の慣用句。誰もが目にしているのに見て見ぬふりをしたいものを喩えていう。

すべてだからです。

地球上の人が住んでいる土地は、人の住めない土地になるでしょう。作物の不作が増え、それが飢饉を引き起こし、気候難民を生み出し、紛争が起きるでしょう(シリア内戦は気候が一因でした)。グリーンランド氷床は溶けて崩壊し、奔流を起こしています。南極西部の氷床も数年前のモデルでの予測よりもはるかに速く溶けています。今世紀末までに海面は劇的に上昇し、世界中のすべての地図が廃品になり、海抜が低い場所にはまったく新しい海岸線ができることでしょう。ニューヨーク市の大部分は長期的には破滅することを運命づけられていて、バングラデシュ、エジプト、ベトナム、そして、フロリダ南部や大西洋岸のほかの場所も同様です。海は酸の浴槽になりつつあり、相当な数の地球上の人間に食物を供給している魚たちの育成場であるサンゴ礁は、急速に死んでいます。絶滅は加速しています。そして、激しい天候は新しい日常になり、カナダで史上最大の災害だった二〇一六年春のアルバータ州での大規模火災(ちなみに、アメリカ合衆国ではあきれるほど小さく報じられました)や、二〇一七年に起こった数々の壊滅的な火災やハリケーンのような災害が起こっていくことでしょう。

こうした気候変動についてのニュースはすべて、とりわけ義憤を掻き立てやすくて多くのクリックをかき集められる、つかの間の人間ドラマと競争するのに四苦八苦しています。気候変動は、ある程度は人間の本質においての失敗ですが、ある程度は、メディアの失敗なのです。気候変動の影響の規模や脅威を最大限にするのではなく最小限にとどめる選択肢がどんどん減っていることについて、メディアが大局的な視点を持って報じていないという失敗です。わたしたちが自分たちの住処を、主にはゆっくりとした運びで、間接的に、入り組んだ方法で破壊しているストーリーの数々は、見過ごされているか、軽視されているのです。それは、最近勃発したものではなく現在進行中の過程なので、スキャンダル、嘘、金という「普通のニュース」であっても報道してもらうのが難しいのです。たとえば、気候変動が大きく報道されて認識されるようになる前からエクソンやその他の化石燃料企業がそれを知っていて隠していたというニュースがそうです。世界規模の壮大なグローバル気候ムーヴメントの展開や、驚くほど迅速で効果的なエネルギー転換が進んでいることは、まったく話題にならないか、なっても断片的な解説だけです。

未来の世代は、地球が燃えているときに取るに足らないことで気をそらしているわたしたちのほとんどを恨むことでしょう。ジャーナリストは、この危機における可能性や責任に関して極めて重要な立場にあります。ストーリーを作る者として、ブレイクする者として、わたしたちはとても強力な存在なのです。

ですから、どうか、ストーリーをブレイクしてください。

＊1　これはわたしの母校、カリフォルニア大学バークレー校のジャーナリズム大学院で行なった卒業スピーチの改訂版です。

悲しみのなかの希望

Hope in Grief (2018)

同朋であるアメリカ合衆国の住民が抱いている不安や憤り、深い悲しみに、わたしは大いなる希望や励ましを見出している。人びとが苦しむのを見たいわけではない。こんなにも多くの人が無関心とはほど遠いことに、ほっと胸をなでおろしているのだ。わたしは〔二〇一六年の大統領〕選挙のあと、直接には攻撃のターゲットにならない人びとが、独裁政権下でよくみられるようなことをするのではないかと恐れていた。私生活に閉じこもり、危機が通り過ぎるまでじっと待ち、他人ではなく自分のことだけ気にかけるといったことだ。

ところが、まったく異なることが起こった。

人びとが感じた苦悩は深かった。心理的な苦痛、不眠、不安、こだわり、憤り、怒り疲れ、惨めさ、恐れ、憂慮などの感情を訴え、取りつかれたようにニュースに没頭した。かつてウォール街のエグゼクティブだったエイミー・シスキンドは、トランプ政権による道徳的に逸脱した不穏な行動や声明を毎週リストにし、独裁政治に向かいつつあることを記録することに専念しつづけた。〔大統領選のあった」一一月に、彼女は就寝時にマウスガードを装着し始めたと語った。寝ている間に歯を食いしばっていて、歯にヒビが入ったからだ。ある美術教師は、「実際に大混乱の状態に陥る危険があり、暴力が広まる可能性がある社会で暮らしているストレスは、まちがいなくわたしの健康を損なっています。軽いインフルエンザにかかっているような感じです。心痛で頭に霧がかかっているようにぼんやりしています。何百万人もの人が同じようなことを感じているのではないかと、なんとなく思っています」とわたしに語った。

人びとは気にかけているのだ。もちろんすべての人が注意を払っているわけではないし、国民の三分の一はいまだにトランプを支持している。彼らは、白人男性がすべてを支配し、女性は沈黙し、非白人は従順で、ヘテロセクシャルであることが義務で、環境破壊が規制されていなかったという、半分は空想のアメリカに戻りたがっている。けれども、八三歳のフェミニストで社会活動家のグロリア・スタイネムは、今年のはじめにサンフランシスコ市で開催されたイベントで、全米をとおしてこれほど人びとが関心を抱き、社会活動に関わっているのを見たことがないと語った。一九六〇年代との比較だけでなく、これまでかつてないほどの大きさだというのだ。わたしが周囲の人びとから感じるのは、この国が拠り所にする道義や高潔さ、弱者への態度、未来、法規範、政府機関の誠実さへの、情熱的な問題意識である。

要するに、彼らは、つまりわたしたちは、理想主義者なのだ。わたしたちには公共心がある。また、社会に関わっている市民だ。だが、それはアメリカ合衆国に住むわたしたちが、生まれたときからあらゆる方法で言われつづけてきたことに相反している。そして、資本主義、社会ダーウィン主義、あるいはフロイト主義と呼べるかもしれない社会で生きている、ほかの国に住むあなたたちが言われてきたこととも相反している。それは、「人間は、自分自身の身体的、心理的、物質的なニーズと、そしておそらく自分の遺伝子の継承が重要な関心事の利己的な動物であり、我々の欲求は私的で個人的なものだ」という教えだ。実際、企業のグローバル化の興隆と国境を越えた反グローバリズム運動のさなかに、しばしば気づいたことがある。それは、銀行や鉄道が私有化される前に、人びとの想像力が私有化される必要があるということだ。また、わたしたちの間には本当に重要なことに関しては共通することがなく、互いに貸し借りなどなく、理想的な人生は家庭や私的な場所でこそ送ることができる、わたしたちは消費者であって市民ではない、公の場で社会活動をしたり公職についたりしたいと思う理由などない、と説得させられる必要があるということだ。これは、多くの意味で効果的だった。わたしたちは、公的領域は余計で、面倒で、不愉快で、危険であり、楽しみや意義が存在する場所ではないと何度も繰り返し言い聞かされてきた。そして、シリコンバレーは、この観念によって利益を得ることに躍起になってきた。

それでも、わたしが地震やハリケーンといった自然災害について調べているときに気づいたのは、危機のさなかで、人びとはしばしば自発的に共産社会主義者(コミュニタリアン)のような自己意識に立ち戻るということだ。その深いつながりの中で、彼らは意味、目的、力を見出し、ときには廃墟の中に歓びさえ見出す。この一五か月ほどにわたって何度か考えたのだが、現状が危機であり、災害であり、緊急事態だと確信している理由のひとつは、人びとが自分たちを揺さぶり起こして対応した行動のありさまだ。人びとは、自分が市民社会の一員だということに気づき、見知らぬ他人や社会を大切に思っていることや、ときには、それらのために自分の人生を変えたり、生命の危険もおかしたりすることを知る。そして、公や共同体の場に活動領域を広げるにしたがい、自分の自己意識も広がっていくことに気づく。

選挙のあと、わたしは人びとが脅しに屈し、公的には服従し、私的には無関心になるのではないかと恐れていた。9・11以降、ブッシュ政権はこの事件を巧みに操って愛国心を盲目的な服従のようなものに仕立て上げ、それにあえて異議を唱える者は長年にわたってほとんどいなかった。この醜い時代にも喜ぶべきことがあり、そのひとつは、トランプ政権を恐れている者がほとんどいないらしいことだ。トランプのツイートはすべて、嘲笑から侮蔑、犯罪者よばわりの非難まで、一般人から数多くのリプライを受ける。実際、この国が完全に独裁主義になるのを防げるものがあるとしたら、それはここにいる多くの人びとの反抗的な性質であり、道義を貫くことへの献身だ。国そのものは頻繁に正道を主張するくせに、同じくらい頻繁にそれを貫かないのだが。

心の中で暴君や腐敗に反対し、苦悩し、気にかけるだけでは足りない。行動しなければならない。だが、感情こそが基盤であり、実際、反対の実践はあちこちにある。何百人もの女性が初めて選挙に出馬して勝利しているし、伝統的に共和党が強い選挙区で民主党が勝利している。なぜなら、トランプや共和党に賛同しない有権者の一部が大きく参与するようになったからだ。（民主党も明らかに完璧からはほど遠いが、狂った極右の共和党に取って代わることができる主流の党であり、ここから出馬している個々の候補は、党の首脳部よりも進歩的であり勇敢である。）

二〇一八年の春、『ワシントン・ポスト』紙はこう報じた。

二〇一六年のはじめから現在まで、五人に一人のアメリカ人が路上で抗議運動をするか、政治集会に参加するかした。そのうち一九％は、これまでデモ行進や政治集会に参加したことが一度もなかったと答えた。最近になって意欲を持った社会活動家の圧倒的多数が、トランプに批判的である。世論調査によると、トランプ大統領を支持する国民は三〇％で、不支持は七〇％だ。そして、多くの人が今年はもっと政治に関わると言い、その三分の一は二〇一八年の議会選挙でボランティアをするか選挙陣営で働くつもりだと言った。

これは、かつてなかったレベルの関与である。

二〇一八年のバレンタインデーにフロリダ州パークランドの高校で起こった銃乱射事件で生き残った高校生たちは、銃規制運動に新たなエネルギーと支持者をもたらした。その大量殺戮から一か月後の記念日である三月一四日、一〇〇万人の学生が〔抗議行動として〕教室から退席したという。その一〇日後の三月二四日、マーチ・フォー・アワ・ライヴス（私たちの命のための行進）と称されるデモが全米で四五〇以上行なわれ、一〇〇万人を軽く超える人びとが参加した。クラウド・カウンティング・コンソーティウム[90]は、アメリカ合衆国でこの春、一か月に二五〇〇以上の政治的なデモが行なわれたと報じた。二〇一八年一〇月に映画プロデューサーのハーヴィ・ワインスティーンによるセクシャル・ハラスメントと性暴力が発覚したことへのフェミニストの反応が、ワインスティーンと同じような多くの男の解雇や追放につながった。この憤怒のある程度は、性暴力の連続加害者がホワイトハウスに住んでいることの副作用かもしれない。フェミニストと銃規制運動の活動家のどちらもが認識しているのは、個々の問題が、権力、権威、ジェンダー、人種、平等あるいはその反対といった、もっと広範囲の問題につながっているということだ。

労働と教育は攻撃を受けているが、貧困にあえいでいるウエストヴァージニア州で不当に低い給与で働いている教師らは、ストライキを計画して成功させた。オクラホマ州の教師たちも、わたしがこのコラムを書いているいま、ストライキを行なっている。アリゾナ州とノースカロライナ州の教育者もストライキを行なった。たとえばカンザス州でのある移民の男性を守る闘いなど、個別のキャンペーンが繰り広げられ、人びとは情熱的に加わっている。投票する権利を得るための力強い闘いもスタートした(トランプが少数票で勝利した理由のある程度は、何百万人もの投票を抑圧したからで、民主主義と闘うことで選挙に勝とうとする、共和党が継続中の戦略のおかげである)。

わたしたちが勝利しつつあると確信しているわけではない。だが、ようやく闘いをはじめたことが嬉しい。それが一部の者だとしても。現在は混乱の時代だ。昔ながらの保守主義者は、トランプ政権や、ときにはもはや彼らを代表していないと感じる共和党を攻撃している。強硬的な左派の一部は、選挙政治を軽蔑し、より良い合意の可能性を信じていないために中心的な場にはいない。リベラルと穏健派は〔強硬派が信じていない〕こうした価値観を情熱的に認めているので、いまは彼らに

(90) デモ行進、抗議運動、ストライキなどの群衆の数を正確に数える非営利団体。

とって最良の時期かもしれない。彼らが、レジスタンスと呼ばれるものの中枢になっている。

わたしたちの国の現在の状況(ステイト)は、二年ほど前に予言されていたとしても、可能だとも、ありそうなことだとも、現実になるとも信じられなかっただろう不条理スリラー映画のようにときおり感じられる。ニューイングランド地方の特権階級出身の威厳ある国家公務員と南部の保守的な地方出身のアダルト映画女優・監督——ロバート・ムラー三世とストーミー・ダニエルズ——が、一緒になってトランプ政権を包囲しようとしているのは、笑えるのと同時にぞっとするし、信じがたいほど奇妙だ。

ものごとを複雑にしている要因のひとつは、この政権が、事実上はスローモーションのクーデターだということだ。最初は少しだけ、次にはもう少し、そしてさらに少し……というかたちで権力を獲得してゆき、その権力を行使して法規範と公職の基準を冒瀆しながら、自分の利益を得て、ものごとを破壊している。ホワイトハウスと閣僚は、敵意ある外部勢力として、公教育制度を破壊し、社会的弱者(貧困者、障がい者、子どもたち、学生、移民、難民、トランスジェンダーなどを含む)への支援、この国を動かしている外交官や官僚、アメリカの国民と環境の保護、権力の分離、政府の説明責任と透明性を押しつぶそうと、躍起になっている。

彼らは破壊のためにやってきて、もはや法や真実や国の福利などは気にかけていないのが明らかな立法部門の共和党〔議員〕の支援のもとに、このプロジェクトをすでに推し進めている。現政府が突然権力を握って歯止めがきかない独裁政権を宣言するのではないかと恐れている者もいる。また、ある者は、それが徐々に起こりつつあると気づいている。その企みを妨げている二つの要素は、トランプ政権の支離滅裂な無能さと、一般市民の注意深い憤慨である。三つ目の要素は、全米の、軍隊から、諜報機関、科学者、行政官まで、幾多の政府機関に長年仕えた人たちが抱える、強い嫌悪である。移民局のある職員は、「事実を誤った方向に導きつづけることはしたくないので、辞めます」と言って二〇一八年に辞職した。

悲しみや怒り、不眠、憤慨そのものは力ではない。けれども、そうした感情は、公共心がある国民に対して、堕落した選挙と処罰を逃れたままの法律違反によって盗まれたこの国を取り戻すことができるかもしれないと証明してくれる。そして、わたしたちが行動に移すときが、もうじき来るかもしれない。

間接的に起こる成果を讃えて

In Praise of Indirect Consequences (2017)

二〇一七年二月、ダニエル・エルズバーグとエドワード・スノーデンが、民主主義、透明性、内部告発などについて公開の対談を行なった。その過程で、スノーデンは(もちろんモスクワからのスカイプで)、エルズバーグというお手本がいなかったら、自分は国家安全保障局(NSA)が何百万人もの普通の人びとをスパイしているということまで暴露しなかっただろうと言った。それは、驚くべき告白だった。ということは、一九七一年にエルズバーグが最高機密のペンタゴン・ペーパーズを公開したことの影響は、ニクソン大統領の座や一九七〇年代のベトナム戦争にとどまらなかったということになる。その影響を受けたのは、当時生きていた人だけではなかった。スノーデンは、エルズバーグが道義のために自分の将来をリスクにかけた一二年後に生まれたのだから、彼の行為は何十年たったあとでも人びとに影響を与えたことになる。行動は、たいてい最初の直接的な目的をはるかに超えて波及する。そして、これを覚えておくことで、たとえその結果をすぐには得られないか、あるいは明らかな結果を得られそうにないときであっても、道義に沿って生き、自分がやることには意味があるという希望を抱いて行動することができる。

きわめて間接的なことが、しばしばきわめて重要な成果をもたらす。たとえば二〇一七年一月のウィメンズ・マーチのような大規模なデモ行進に参加するとき、わたしはときおり、このデモ行進が重要な理由とは何だろうと考える。もしかしたら、名もなき若い女性が二〇年後に偉大な解放者となって世界を変えるときに、彼女がこの行進で人生の目的を見出したこと、だからこそこの行進が重要だったことに、わたしたちはようやく気づくのではないかと。

イラク戦争が始まったあとの暗鬱な日々がつづく二〇〇三年に、わたしは「希望」について語り始めた[91]。一五年後の現在も、わたしはまだこの言葉を使っている。なぜなら、楽観主義と悲観主義が持つ偽りの確信や、それら両方に伴う自己満足や受け身の姿勢といったものの間をくぐり抜けて前進する言葉だからだ。楽観主義にはわたしたちが努力しなくてもすべてうまくいくという思い込みがあり、悲観主義にはすべて取り返しがつかないという思い込みがある。どちらも、わたしたちは家に閉じこもって何もしなくていいと思わせてしまう。わたし自身にとっての希望とは、将来は予測不可能なものだとわきまえることであり、何が起こるのか実際に知ることはできなくても、わたしたちの手でそれを書くことができるかもしれないと信じることである。

希望とは、わたしたちがやっていることは重要かもしれないと信じることであり、未来はまだ書

(91) レベッカ・ソルニットは、著書『暗闇のなかの希望』の原書(*Hope in the Dark*)を二〇〇四年に刊行している。

かれていないと理解することである。それは、起こり得ることや、それに対してわたしたちが果たす役割について、豊富な知識と鋭敏さを伴う柔軟な姿勢を持つことである。希望は前に向かうものだが、わたしたちの勝利やその複雑さと不完全さを含む歴史を知ることで、過去からエネルギーを引き出す。それは、善の敵である「完璧」を崇拝しないことであり、勝利が咥えている敗北をその口から奪わないことであり、まだ未来が書かれていないというのに何が起こるかわかったつもりにならないことである。未来に何が起こるかは、わたしたちの手にかかっているのだ。

わたしたちは、複雑な生き物である。希望と苦悩は、わたしたちの内部で、そして、わたしたちの活動や分析の中で共存できる。ジェームズ・ボールドウィン(92)を描いた二〇一七年のドキュメンタリー映画『私はあなたのニグロではない』に、あるシーンがある。一九六八年に、ロバート・ケネディが「四〇年後には黒人の大統領が就任する」と予測したものだ。これは、驚くべき予言だった。ちょうど四〇年後にバラク・オバマが大統領選に勝利したのだから。だが、ボールドウィンは、このコメントをあざ笑った。というのは、絵に描いた餅は、人種差別が好きではない白人の心情はなぐさめることができるかもしれないが、それがどんなに素晴らしいものであっても、現在この社会にある人種差別に苦しめられている黒人の苦痛と憤慨を洗い流すことはできないからだ。それなのに、ケネディの話しぶりは、それを認めていなかったからだ。ブラック・ライヴズ・マターの創始者のひとりであるパトリッセ・カラーズは、初期からこの運動の使命を「深い悲しみと怒りに根ざしているが、ビジョンと夢に向けたものである」と説明していた。より良い未来のビジョンは、現在の犯罪や苦悩を否定する必要がない。むしろそれらがあるからこそ、ビジョンが重要なのだ。

トランプ政権とその計略への抵抗の力強さ、幅広さ、深さ、寛容さに、わたしは心打たれ、胸を躍らせ、感じ入ってきた。わたしは、州政府や、（知事、市町長、多くの連邦政府機関の職員を含む）数多くの公務員や、保守的な州の小さな町の数々を含む、これほど大胆で、これほど広く行き渡る抵抗運動は期待していなかった。草の根運動の発足を助けるインディヴィジブル（indivisible）という団体は、選挙後に六〇〇〇もの支部を作ったと報じられており、移民の権利団体が新たにできたり補強されたり、新しい宗教団体が作られたりして、新たな組織が生まれている。アメリカ史上最大規模のデモ行進であった二〇一七年一月二一日のウィメンズ・マーチなど、ほかにも多くのことが起こっている。

わたしはこの状況がもちこたえるのかどうかも、心配していた。新参者は、結果がすぐに得られなければ無駄だったと考えがちだ。即座に成功しないのであれば、失敗だとみなす。そういった思考回路のために、ちょうど勢いが出てきて勝利に手が届きそうになったときに、多くの人が諦めて家に戻ってしまう。これは、わたしが何度も繰り返し目撃してきた危険な過ちだ。現在の進捗状況を知るためには、短期的な因果関係を算数で単純に計算するのではなく、変化を分析する複雑な微分積分を使って計算する必要がある。

マンハッタンにはわたしが大好きなハウジング・ワークス・ブックストア・カフェ（Housing Works Bookstore Cafe）という書店がある。よりすぐりの古本と軽い食事が目当てで何年も通っている。二

（92）　一九五〇年代から七〇年代にかけて活躍した黒人作家で公民権運動の活動家。

〇一六年の秋、コロンビア大学に勤務しつつハウジング・ワークスでボランティアをしている友人のガヴィン・ブラウニングが、店名の意味をわたしに思い出させてくれた。ハウジング・ワークスは、エイズ危機のさなかに実験薬が入手できるよう推し進め、疫病の深刻さを啓蒙し、悪夢の夜に身をゆだねるような若すぎる死を迎えないように設立された[93]「ACT UP(エイズ解放連合)」の副産物だ。

ACT UPがやったことは何か? すさまじく熱烈な活動家たち(その多くは非常に重体で死にかけていた)が、エイズに関するわたしたちの考え方を変えたのだ。薬の臨床試験のスピードを早め、エイズの多くの症状や合併症を一緒に対処し、政策、教育、予防、支援活動、研究資金調達などを推進した。彼らは、ほかの国のエイズ患者や彼らの支援者に、手が届く価格で彼らが必要とする薬を手に入れるために製薬会社とどう闘うのか、そして、どう勝つのかを教えた。

ブラウニングは最近、「一九九〇年のはじめ、HIV/エイズに罹患している推定一万三〇〇〇人のホームレスのためにニューヨーク市に確保されていた住宅は三五〇以下だった。それに対応するため、ACT UP住宅委員会の四人のメンバーが一九九〇年に「ハウジング・ワークス」を設立した」と書いた。ハウジング・ワークスは何年もたった今でも、HIV陽性の人たちに、住宅を含む幅広いサービスを地道に提供している。

わたしが見ていたのは書店だけだったので、ずいぶん多くのことを見逃していたのだ。ACT UPの仕事は、いかなる意味でも終わってはいない。

活動団体、社会運動、蜂起の多くには、それぞれに副産物、流れを引き継ぐ新しい団体や運動、ドミノ効果、連鎖反応、最初の実験から生まれた新しいモデル、事例、テンプレート、道具箱などがある。そして、すべての社会活動の実践は、その結果をほかの状況に応用できる実験なのだ。希望に満ちているためには、不確かさを歓迎するだけでなく、行動の成果を計るのが不可能か、あるいはその影響がまだ展開中かもしれないことを進んで受け入れる必要がある。たとえば、アメリカ合衆国の活動家が立ち上がって〔理不尽な価格を〕受け入れることを拒否したために、ほかの大陸の貧しい人びとも同じように拒否して〔結果的に〕薬を手に入れることができるようになるかもしれないといったことだ。希望とは、すべてのものが互いにつながっているという感覚や、わたしたちの行動の最悪の場合だけでなく最善の場合が与える永続的な影響という、繊細な糸で織られたデリケートな横断幕（バナー）のようなものだと想像してみてほしい。すべてが重要である不可分の世界を想像してみてほしい。

オキュパイ・ウォール・ストリート運動は、最初の数週間には嘲笑われ、混沌としていて効果がないと報じられた。そして、この運動が全米とそれを越えた場所にまで広まったときには、単純な判定基準で成功をはかる評論家たちから、すでに失敗したか、失敗しつつあると評された。マンハッタン南端部で最初に始まったオキュパイ運動は二〇一一年一一月に解散したが、この運動に誘発された野営活動の多くはもっと長くつづいた。オキュパイ運動は、学費の負債や日和見主義の営利

（93）死にゆく父についてディラン・トマスが書いた有名な詩の一節「おだやかな夜に身をゆだねるな（Do Not Go Gentle into that Good Night）」にちなんでいる。

目的の大学に対する反対運動を始めた。この運動は、金融崩壊とアメリカの債務奴隷制度[94]の残酷さと苦痛に光を当てた。そして、これまでにない方法で経済的不均衡を指摘した。カリフォルニア州は、搾取を目的にする金融業者に抵抗するための住宅所有者の権利法案を可決した。それは、オキュパイ運動の結果として発生した、弱みにつけ込まれやすい住宅所有者たちを一軒ごとに守るための住宅防衛運動だった。それぞれのオキュパイ運動は、独自のプロジェクトを持ち、地元の地方自治体と関わっている。地方のオキュパイ運動の好調な派生物は、今でも社会を変えている。オキュパイ運動は根強く残っているが、多種多様な様相になっているし、マンハッタン南端部の広場に集まったオキュパイ・ウォール・ストリート運動の群衆とは似ていないので、それを見つける慧眼を身につける必要がある。

同様に、ノースダコタ州のスタンディングロックでの先住民の部族と活動家の集まりについても、パイプライン建設を阻止したかどうかで判定できるものだと考えるのは間違いだとわたしは思っている。この集まりは二〇一七年一月一日の完成を遅らせただけではなく、完成が遅れたために投資家は大金を失った。また、この非常に大きな運動は、大幅な株の売却を引き起こし、これまで人目につかなかった企業や環境破壊の詳細を浮かび上がらせ、そのために、パイプライン建設はリスクが高くて利益が少ない可能性がある事業に見えるようになった。

スタンディングロック〔の集まり〕は、こういった実質的なことよりも遥かに大きなものだ。最盛期には北米先住民の政治的な集まりとしてはおそらく最大のものだったと思われ、一八七六年の「リトルビッグホーンの戦い」でラコタ部族がカスター隊を破って以来、ラコタの七支族すべてが団結したのは初めてのことだったと言われる。また、ふだん無視されている民族を世界から注目させたできごとでもあった。ここで展開されたことは、ひとつのパイプライン建設を取りやめにさせることはできそうにないが、植民地支配の残酷さ、何百年にもわたる喪失と人間性の抹殺と追い立てという、五〇〇年以上の歴史にラディカルな新しい章を書いた。何千人もの退役軍人が野営地を守り、パイプライン建設を妨げる手助けのためにやってきた。ある重要な儀式の途中、多くの元軍人がひざまずき、アメリカ軍が長年アメリカ先住民の抑圧に関わってきたことを謝罪し、許しを求めた。一九六九年から一九七一年にかけてアメリカ先住民がアルカトラズ島を占拠したときのように、スタンディングロックは、力、誇り、宿命の感覚を促進するきっかけになっている。それは、連帯と相互連結の肯定であり、先住民の是非をよく知らない人への教育であり、歴史の詳細を情熱的に覚えている先住民への承認である。また、それは気候変動運動と先住民の権利の間には深いつながりがあることの確認であり、このつながりがカナダとの間のパイプラインを止めるために大きな役割を果たした。スタンディングロックは、これからまだ半世紀かそれ以上の長期にわたって立派な働きができる若者たちの意欲をかきたて、知識を与えた。それは、意義を時や場所を超えて遠くまで届ける、灯台の光になっている。

歴史を知ることで、いま現在を超えてこれから先を見ることができる。過去を思い出すことで、

---

(94) 借金が払えない場合に罰として無料奉仕、あるいは営利目的の刑務所で服役し、無料で働かせられること。ペオン制とも呼ばれる。

未来に期待することができ、すべては変化し、もっとも劇的な変化はしばしばもっとも予期しえないものだと知ることができる。

一九七〇年代の反核運動は当時強大な勢力だったが、現在思い出す人はあまりいない。けれども、その影響はいまだに存在する。L・A・カーフマンは、彼女の著作『直接行動――抗議運動とアメリカ急進主義の改革（*Direct Action: Protest and the Reinvention of American Radicalism*）』の中で、原子力に抵抗する最初の重要な行動は一九七六年のもので、その前年に西ドイツで行なわれた並外れた抗議運動に誘発されたものだったと書いた。西ドイツのその抗議運動は、原子炉建設計画の中止を政府に強いた。ニューイングランド地方では、原子力発電所建設に反対する「クラムシェル同盟」を自称するグループが生まれた。巧妙な戦略とムーヴメントの大きな高まり、広範囲にわたるメディアの報道にもかかわらず、活動家はニューハンプシャー州でのシーブルック原子力発電所建設を止められなかった。けれども、彼らは姉妹組織であるカリフォルニア中部の「アバロン同盟」を奮い立たせることはした。アバロン同盟は、クラムシェル同盟と同様の戦略を使ってディアブロ・キャニオンでの原子力発電所建設を止めようと試みた。

これらのグループは特定の二つの原子力発電所に抗議したが、結果的にはどちらも稼働を始めた。これを失敗と呼ぶこともできるだろう。だが、カーフマンによると、こうした行動が全米の人びとに自分たちの反核グループを結成する意欲をかきたてたので、そのムーヴメントのおかげで数年にわたって一〇〇以上の原子力発電所建設が中止され、公共の認識を高め、原子力に対する世論を変えたのだ。つづいてカーフマンは、クラムシェル同盟についてとてもエキサイティングなことを書いている。「(クラムシェル同盟の)もっともめざましい遺産は、直接行動を統合して推進することで、その後四〇年の間に主流となった大規模な直接行動の組織化のモデルになったことだ……そして、このモデルを中米でのアメリカの政策に反対するグループの全米ネットワークである「プレッジ・オブ・レジスタンス」が(一九八〇年代に)採用した」

カーフマンは「その秋には、最高裁判所の反ゲイの判決、「バワーズ対ハードウィック事件判決[95]」に対して、さらに何百人もがその方法を採用して市民的不服従で抗議した」と書き、さらにこうつづけた。「エイズ活動団体のACT UPはこのモデルのあるバージョンを使い、実験的なエイズ薬を迅速に認可する圧力をかけるために、一九八八年には食品医薬品局の本部を、一九九〇年には国立衛生研究所の大規模な占拠を計画した」と。それが、このようにして、二一世紀の現在につづいている。

だが、このような触媒作用を引き起こしたクラムシェルの主宰者による戦略と編成の原則とはいったい何だったのだろう? 簡単に答えれば、対外的には非暴力の直接行動であり、内面的には合意による意思決定のプロセスである。前者は世界中に歴史を持ち、後者は北米における初期の反体制派ヨーロッパ人の歴史にまでさかのぼる。かいつまんで言うと、非暴力はガンディーが明瞭にした戦略であり、一九〇六年九月一一日に南アフリカのインド系住民が差別に抗議するために使った

(95) ジョージア州の反ソドミー法によって逮捕されたハードウィックが州司法長官のバワーズを相手に訴訟し、一九八六年、最高裁がその州法を合憲と判決した件をいう。

のが最初だった。若き弁護士〔だったガンディー〕が、理想を追求するためにロンドンに渡った直後、彼が抱いていた可能性と力の感覚は大きく膨らんだ。到着の三日後、投票権を求めて闘うイギリス人女性たちがイギリス議会を占拠し、一一人が逮捕された。彼女たちは罰金を支払うことを拒否して刑務所に送られた。これらの女性は、ガンディーに深い印象を与えた。

　ガンディーは、「言葉よりも優れた行動（Deeds Better than Words）」という論文の中で彼女たちについて言及しており、ジェーン・コブデンという女性が逮捕された姉の言葉として語った次の言葉を引用している。「私が作ることに加わっていない法律には、けっして従わない。それらの法律を施行する権威や裁判所を、私は受け入れない」。ガンディーは、「現在は国中の人が彼女たちをあざ笑っていて、味方をする人はわずかしかいない。だが、これらの女性はひるまずに、理念の実現のために毅然と活動している。彼女たちは成功して参政権を得るにちがいない」と書いた。そして、ガンディーは、これらの女性たちが勝てるのであれば、イギリス領のアフリカで権利獲得のために闘っているインド系市民も勝てるだろうと考えた。その同じ論文（なんと、一九〇六年の！）の中で彼はこう予言した。「時が来れば、インドは拘束を断ち切るだろう」

　思考には伝染力がある。感情も、希望も、勇気も、すべて人から人に広がる伝染性のものだ。これらの資質を具象化するとき、あるいはその逆のものを具象化するとき、わたしたちはそれらをほかの人に媒介する。

　つまり、一九一八年に制限つきの女性の投票権を、そして一九二八年にすべての女性への投票権を勝ち取ったイギリスの女性参政権運動家（サフラジェット）たちが、ひとりのインド人男性を動機づけ、それが二〇年後、アジア亜大陸がイギリスの支配から解放されることにつながったのだ。そして、次には、ガンディーがアメリカ南部に住むある黒人男性に彼の思想とその応用を学ぶ動機を与えた。マーティン・ルーサー・キング・ジュニアは、一九五九年にインドへの巡礼の旅でガンディーの後継者に会ったあとにこう書いた。「モンゴメリーでのボイコットの最中にあって、インドのガンディーは私たちが行なっている非暴力的な社会変革の方法を導く光だった。私たちは彼のことをよく話題にしたものだ」。こうした方法を公民権運動がさらに発展させ、それが、たとえばアフリカ大陸の一端ではアパルトヘイトへの抵抗で、また同大陸の別の一端では「アラブの春」で、というように、世界中で起用された。

一九六〇年代初頭の公民権運動は、参加した多くの人びとの人生をかたちづくった。フリーダム・ライド[96]に最初に加わったジョン・ルイスもそのひとりだ。彼は、ランチカウンター・シットイン[97]の若きリーダーであり、セルマの行進[98]で残虐に殴打されて頭蓋骨を骨折した被害者でもある。それから何十年もたったとき、ルイスは連邦下院議員としてトランプ大統領の正当性にもっとも大

(96) 一九六一年に長距離バスの人種による座席の区別を公然と破ることによって行なわれた非暴力不服従運動。次々に弾圧されたが、多くの活動家があとにつづき、最終的に人種差別を撤廃させた。

(97) 一九六〇年、ノースカロライナ州のウールワースというデパートにあったランチカウンター(飲食店)で、黒人の学生たちが白人専用席に座り込み(シットイン)をした抵抗運動。

(98) 一九六五年、キング牧師の指導のもとに行なわれた、黒人の選挙権を求める大規模デモ。警察官が暴力を振るい死亡者が出た、「血の日曜日事件」で知られる。

胆に疑問を投げかけたひとりとなった。また、彼は、同僚の民主党議員を何十人か率いてトランプの大統領就任式をボイコットした。そして、トランプ就任から一週間後にイスラム教徒の難民と移民への攻撃が始まったときには、抗議のためにアトランタ空港に現れた。

イギリスの女性参政権運動の女性たちが議会で逮捕されたときには、イギリス女性が投票権を得るために闘っていた。彼女たちは、自らの解放に成功したのだ。だが、それだけではなく、戦術や気迫、反逆精神といったものも受け渡してくれた。系統をさかのぼってたどれば、アメリカの女性参政権運動に影響を与えた反奴隷制運動にたどり着き、その先へとたどれば、アトランタ空港で難民やイスラム教徒のために立ち上がったジョン・ルイスにたどりつく。わたしよりも先に生まれて可能性と想像力の扉を開けてくれたヒロインやヒーローたちが、わたしたちを鼓舞してくれる。

ミシェル・フーコーは「人は自分が何をやっているのか知っている。多くの場合は自分がなぜやったのかも知っている。知らないのは、自分がやったことの影響だ」と述べた。あなたは自分にできることをやる。あなたがやったことは、これから何世代にもわたって、あなたの想像を超えたことを成し遂げるかもしれない。あなたは種を植え、その種から木が育つ。その木は、実をつけ、木陰を作り、鳥たちのすみかになり、さらに多くの種を生み出し、森になり、ゆりかごや家を作る木材になるだろうか？　あなたにはそれを知るすべはない。木は、あなたよりももっと長生きするから。同じように、真実あるいは正しさについての新しい発想を受け入れることがもたらす変化も、ときには世界を作り変えるかもしれない。あなたは自分にできることをする。自分のベストを尽くす。それがもたらす影響は、もはやあなたの責任ではない。

一九七〇年代の反核運動や、一九六〇年代の公民権運動で使われた非暴力的な市民的不服従は、この手法を拡大し、洗練させるのに貢献した。この対外的な実践の遺産を思い出すべきだ。

内部でのプロセスに関して、著作『直接行動』の中でカーフマンはクラムシェル同盟の影響について、参加者のひとりイネストラ・キングの言葉を引用しこう説明した。「フェミニズムから学んだある種の構造は自然にこの状況に取り入れられ、ある種の尊敬の気風はクエーカー教徒の慣習によって強化されました」。カーフマンによれば、クラムシェル同盟の初期の参加者であるスーキー・ライスとエリザベス・ボードマンはクエーカーの影響を受けており、合意による意思決定というクエーカーの慣例をこの新しい団体に持ち込んだ。「それは、誰ひとりとして沈黙を強いられないことを確約し、指導者と信者との間に境界はないという発想です」。クエーカー教徒は、一七世紀から、戦争や階層構造、その他多くのことに反対してきた、急進的な反体制派だった。ジョアン・シーハンという〔クラムシェル同盟の〕主宰者のひとりは、「非暴力のトレーニングや小さなグループで行動すること、非暴力のガイドライン一式に同意することは、何も新しいことではありませんでした。けれども、そうしたことを合意による意思決定と非階層的な構造の組み合わせに取り入れるのは、新しいことでした」と言った。その後、急進的な活動家の世界に行き渡っていった運営と組織化の方法を、彼らは作っていたのだ。

ＨＩＶのようなウイルスがいかにして生物の種を飛び越えて変異するかという、恐ろしい話を耳にする。だが、発想や戦術もまた、コミュニティから別のコミュニティへと飛び越えて、わたしたちの利益になるような変異をする。戦争での暴力の一種の副産物として、戦闘員ではない一般人が戦争で殺されることを言う、「巻き添え被害」という邪悪な言葉がある。わたしがここで提案したいと思っているのは、おそらく「巻き添え利益」という発想だ。

わたしたちが民主主義と呼んでいるものは、多くの場合、少数の人びとを置き去りにした多数派のルールである。たとえ全体の四九・九％であっても――あるいは三つの選択がある場合には、それ以上の割合が――少数派として無視されることになる。だが、合意で決定する場合には、誰も無視されない。クラムシェル同盟の後、この方法は急進派の政治に飛び火し、彼らをもっと寛容で開かれた平等主義に作り変えた。それは、一九八〇年代と一九九〇年代にネバダ州で行なわれた核実験場での反核運動から、一九九九年末にシアトルで世界貿易機関閣僚会議を閉鎖させた組織まで（それは世界の運命を変えた、新自由主義に対する勝利だった）、さらには二〇一一年の、オキュパイ・ウォール・ストリート運動や、それにつづくものまで、わたしが関わるか目撃したほぼすべての運動で使われ、洗練され、磨きをかけられていった。

それでは、クラムシェル同盟はいったい何を達成したのか？　想定した目標以外のすべてである。この運動は、世界を何度も繰り返し変えるためのツールと、そのツールを使うための、より平等主義的なビジョンを提供した。社会には、わたしたちが可能なかぎり速やかに止めるべきである、人道に対する犯罪、自然に対する犯罪、そのほかのかたちの破壊があり、それらに対抗する試みはすでに進行中だ。彼らは、過去の活動家たちから学び、自分たちが開発したツールで体制を整えている。わたしたちが「巻き添え利益」と間接的な効果を認識するようになれば、こうした努力の遺産を長らえさせることができる。

もしあなたが市民社会の一員で、抗議行動をしたり、議員に電話をかけたり、人権活動に寄付をしたりしているのなら、あなたが影響を与えた変革を、政治家や判事や権力者が、ときによると最初のうちは抗う か反対していたのに、自分の業績にしていることに気づくだろう。どちらにしても、あなたは自分自身の力と自分が与える影響を信じるべきなのだ。また、わたしたちが達成するもっとも偉大な勝利の多くは、「起こらなかったこと」だと心に留めておかねばならない。それは、建設されなかったかあるいは破壊されたものであったり、規制撤廃あるいは合法化であったり、法案の成立や文化の中での容認だったりする。わたしたちが努力したからこそ消えるものがあるのに、わたしたちはそれらが存在したことを忘れてしまう。そのようにして、わたしたちが闘って勝ったことも忘れてしまうのだ。

闘いに敗れることすらプロセスの一部になりえる。大英帝国での奴隷制度廃止の法案は何度も繰り返し成立しそこなったが、この法案の背後にある思想は広まってゆき、最初の法案が提出されてから二七年後のバージョンがついに可決した。メディアというものは、通常、単純で直接的なストーリーを伝えたがるものだと覚えておかねばならない。そうしたストーリーでは、裁判所が判決を下したり議会が法を可決したりしたら、その実行は、それを行なった者自身の善行や洞察力や進歩を反映しているとされる。メディアは、その視点が名もなき知られざる人たち——無数のサンゴがサンゴ礁を作るような方法で新しい世界あるいは世界観を築き上げた人たち——によって形作られたものだということまでは、めったに探求しようとしない。

専制と破壊を阻止することが可能な唯一の力は、わたしたちの大多数が自分の力を忘れずに団結する、市民社会である。その仕事は特定の破壊の事例に反対することから始まるが、深い体系的な変革を行ない、新たなコミットをしなおすまでは、仕事は終わらない。それは革命だけではない。なぜなら、革命は永続しないが、平等の価値観、民主主義、多様性の受け入れ、(思いやりを加えた、革新的な「エ・プルリブス・ウヌム」〔一八三頁参照〕であるところの)全員参加をともなう市民社会は、持続させることができるからだ。この仕事は、常に、最初にも、最後にも、ストーリーを語り伝えることだ。あるいは、わたしの友人にいわせると「ストーリーでの闘い」である。築き上げ、思い出し、伝承し、わたしたちのストーリーを祝福する。それは、わたしたちの仕事の一部なのだ。

この仕事は、持続されてこそ意義がある。持続させるためには、無数の小さな漸進的な行動が重要なのだと、人びとが信じなければならない。結果がすぐに出なくても、あるいは明白でなくても、意義があるのだ。候補者の当選やパイプライン建設を阻止するとか、あるいは法案を可決させるといった直接の目的に失敗したときでも、あなたは、もっと大きな変革がより可能になるよう、枠組全体を変えたのかもしれない。ストーリーあるいはルールを変えること、ツールやテンプレートを与えること、あるいは将来の活動家を励ますことで、あなたはまわりにいる人びとが努力をつづけられるように促すことができるのだ。

それが重要だと信じることで……まあ、未来を見ることはできないにしても、過去は自分のものにできる。過去は、パターン、モデル、類似性、道理、リソースを与えてくれる。そして、勇敢さと栄光と不屈のストーリーと、意義がある仕事をしているときに感じる深い喜びを、与えてくれる。それらを手にし、わたしたちは可能性をつかみとり、希望を現実に変えていくことができるのだ。

訳者あとがき

——真の名を探し、ストーリーを伝えつづける努力の大切さ

イギリスのブッカー賞は世界でもっとも高く評価されている文芸賞のひとつだが、二〇一九年は珍しく二作が受賞作に選ばれた。そのひとつは、フェミニスト文学のモダン・クラシックとみなされているマーガレット・アトウッド著『侍女の物語（*The Handmaid's Tale*）』の続篇『*The Testaments*（陳述書）』だ。

『侍女の物語』はトランプ大統領が就任した二〇一七年にアメリカでもっとも注目された小説だった。Huluでドラマ化され、同じ年にはAmazon.comで「最も多く読まれた小説」になった。この二つの小説の舞台は、キリスト教原理主義のクーデターで独裁政権になった未来のアメリカ合衆国「ギレアデ（実際の発音とは異なるが、ここでは邦訳版の表記を使うことにする）」だ。ギレアデは、白人至上主義で、徹底した男尊女卑の社会だ。国民は男女とも厳しい規則で縛られ、常に監視されている。この国では環境汚染などで女性の出産率が激減しており、子どもが産める女性は貴重な道具として扱われる。不倫や堕胎をした女性は、それが政権交代の前のことであっても罪人であり、処刑されるか、出産可能だとみなされたら子どもを産むための「侍女」として司令官にあてがわれる。

彼女たちは所有物なので固有の名前を持つことは許されず、所有を表わす「オブ」に司令官の名前をつけたもので呼ばれる。

ギレアデの成人女性には妻、侍女、女中、小母という四つの階級しかない。上流階級の若い女性は学校で良き妻になる教育を受け、一〇代のうちに年上の司令官や上官の「幼妻」になる。上流階級の家で料理や掃除を行なう女中のマーサには個々の名前はなく、文字が読めるのはカトリックの尼僧のような役割を果たす「小母」たちだけだ。女の頭脳は男より脆弱にできているので、女として社会に貢献するためには教育は受けないほうが良いと教え込まれている。女には自分の運命を選ぶ権利はなく、掟を破ったら広場で絞首刑になる。

中絶禁止を違憲として人工妊娠中絶を認めるようになった一九七三年のアメリカ連邦最高裁の「ロー判決(ロー対ウェイド事件)」以前の時代に生きていなかったアメリカの若者にとって、ギレアデは「ありえない架空の世界」でしかなかった。一〇〇年前の女性たちが、投獄覚悟で女性の参政権のために闘ったことや、六〇年前の女性たちが「性と生殖」について女性自身が決める権利のために闘ったことを、知らないか、忘れてしまっているようだった。

私にとってショックだったのは、二〇一六年の大統領選挙の取材の現場で目撃した若い女性たちの態度だ。とくに急進派のバーニー・サンダースを支援する若い女性たちによるフェミニストやフェミニズムを見下げるような言動には唖然とした。

そういった若い女性に対し、一九六〇年代から七〇年代にかけて女性の人権のために闘ったグロリア・スタイネムなどのフェミニストたちはトランプ大統領が誕生したら女性の権利が危機にさらされると警鐘を鳴らしたが、彼女たちはそれを無視し、そればかりか、「ヒラリーはトランプより危険」という女優のスーザン・サランドンの発言を鵜呑みにした。そして、スタイネムや「女性を応援しない女性には特別な地獄がある」とヒラリーを応援したマデレーン・オルブライト（女性として初めての国務長官）をインターネットで批判した。そして、サランドンが「私はヴァギナで投票しない」とヒラリー・クリントンの支持を否定したときには、その台詞を繰り返す若い女性たちがソーシャルメディアに現れた。

大統領選挙が終わって、トランプ大統領が誕生するまで、これらの若い女性たちは、自分が現在まで持っていた権利が奪われる可能性など想像もしていなかったのだ。

だが、トランプ就任直後からスタイネムなどが警鐘を鳴らしたことが実際に起こりはじめた。トランプはすぐに海外で人工妊娠中絶を支援する非政府組織（NGO）に対する連邦政府の資金援助を禁止する大統領令に署名し、非営利団体の「プランド・ペアレントフッド（全米家族計画連盟）」への資金援助をストップした。プランド・ペアレントフッドは、人工妊娠中絶手術を提供しているだけでなく、一部の低所得の女性にとっては唯一の健康管理の場所でもある。そのうえ、トランプは二〇一八年には、性的暴行疑惑があるブレット・カバノーを最高裁の判事に任命した。最高裁判所が五対四で保守に傾くことで、ロー判決が覆される可能性が高まっている。

私は、二〇一六年の大統領選挙を長期にわたって現場で取材し、その様子をニューズウィーク日本語版の連載や『トランプがはじめた21世紀の南北戦争』（晶文社）などで報告した。だが、この切迫感が伝わらないもどかしさを感じていた。

そんなとき、レベッカ・ソルニットの『それを、真の名で呼ぶならば——危機の時代と言葉の力』を読み、「私が伝えたかったのはまさにこれだ」と何度も頷いた。「ミソジニーの標石」で、ソルニットは、「女は自分のジェンダーへの忠誠心がないことで嫌われる。だが、面白いことに、女は自分のジェンダーへ忠誠心を抱いても嫌われるのだ。女は主要な女性候補を支持すると、生殖器で投票していると責められる。けれども、アメリカの歴史を通じて、たいていの男性が男性候補を支持していているのに、ペニスで投票していると責められたことはない」とサランドンについても書いているが、これを含め、選挙中に私が感じたことをこれほど明瞭かつ明快に代弁してくれたエッセイはほかにない。

私が体験したことをすばらしい文章で代弁してくれたのはもちろん嬉しいが、ソルニットのすばらしさは、私たちが知らなかった歴史を教えてくれ、これまで何の関係もなかったかのような歴史上の点をつなげてくれることだ。カリフォルニアがいかにしてアメリカの領土になったのかを語る「国の土台に流された血」を読むと、選択的に移民を排除することに積極的なトランプ政権と、彼の移民政策を支持するアメリカ人の傲慢さをさらに強く感じるようになる。

二〇一六年の選挙では、「ピュリティ・テスト（純潔さの試験）」という言葉も飛び交った。特に左よりの急進派が、ヒラリー・クリントンが共和党の家庭で育ち、高校生のときに共和党候補の支援活動をしたことなどをあげて批判したのが、その一例だ。つまり、「一〇〇％完璧でない者は、一〇〇％否定するべきだ」という態度のことだ。それについても、ソルニットは「脇の下の垢」の中で「あまりにも多くの人が完璧さを信じていて、そのために完璧ではないものすべてを貶めてしまう」、そして「無邪気な冷笑家たち」では「無邪気な冷笑家は、可能性を撃ち落とす」と語る。

ソルニットは、私より政治的には左よりの立場だと思う。政策面ではきっと同意できないところもあるだろう。だが、極端なイデオロギーの背後にある怠惰さを指摘し、長期的な視点での社会運動の重要さを何度も語る彼女のエッセイを読んで、これまでと考え方が変わったところもある。私たちの間に違いはあっていいし、完璧である必要はない。それを認め合い、あきらめずに語り合い、活動することが必要なのだ。

本書を翻訳している間に学んだことは限りない。その機会を与えてくださった編集者の渡部朝香さんには、このうえなく感謝している。

ところで、この本を翻訳する合間に読んでいた本のひとつに、ブッカー賞のロングリスト候補になった『*Frankissstein*（フランキススタイン）』という小説がある。そこで、主要な登場人物が「アダムの役割は世界に名前をつけることだった。（中略）名前をつけることは、今でも私たちの主要な役割である。（中略）ものごとを正しい名前で呼ぶことは、それらに本人証明用ブレスレットやラベルをつけたり、シリアルナンバーをつけたりする以上の意味がある。我々は、ビジョンを喚起するのだ。名前をつけることはパワーなのだ」とスピーチする場面がある。

それを読んだとき、セレンディピティだと思った。

私は、子どもの頃から魔法が出てくるファンタジーが好きなのだが、欧米の魔法ファンタジーでは「真の名前」は非常に重要な意味を持つ。「真の名前」は本人の真相を表わすものなので、他人に知られるとパワーを明け渡すことになる。だから魔力を持つ者は真の名を隠すのだ。

だから私たちがパワーを持つためには、現在起こっていることを誤魔化さず、見過ごさず、深く掘り下げることで、ものごとの「真の名」を見つけることから始めなければならない。そして、見つけたら、その真の名を堂々と使うことにも慣れなければならないのだ。

私の周囲にある「真の名」を見つけて語ることを、これからの私の人生の目標にしようと思う。

渡辺由佳里

二〇一九年一〇月

レベッカ・ソルニット(Rebecca Solnit)

1961年生まれ．作家，歴史家，アクティヴィスト．カルフォルニアに育ち，環境問題や人権，反戦などの運動に参加，1988年より文筆活動を始める．写真家のエドワード・マイブリッジ伝 *River of Shadows* により，2004年，全米批評家協会賞を受賞．著書多数．日本語版があるものに『暗闇のなかの希望』(井上利男訳，七つ森書館)，『災害ユートピア』(高月園子訳，亜紀書房)，『ウォークス』(東辻賢治郎訳，左右社)，『説教したがる男たち』(ハーン小路恭子訳，左右社)，『迷うことについて』(東辻賢治郎訳，左右社)．

渡辺由佳里

エッセイスト，洋書レヴュアー，翻訳家，マーケティング・ストラテジー会社共同経営者．書評ブログサイト「洋書ファンクラブ」主宰．兵庫県出身，アメリカのボストン近郊在住．2001年，『ノーティアーズ』(新潮社)で小説新潮長篇新人賞受賞．著書に『ジャンル別 洋書ベスト500』(コスモピア)，『どうせなら，楽しく生きよう』(飛鳥新社)，『トランプがはじめた21世紀の南北戦争』(晶文社)等が，訳書に『グレイトフル・デッドにマーケティングを学ぶ』(日経BP社)，『毒見師イレーナ』(ハーパーコリンズ・ジャパン)等がある．

それを，真(まこと)の名で呼ぶならば
——危機の時代と言葉の力
レベッカ・ソルニット

2020年1月28日　第1刷発行
2021年3月5日　第3刷発行

訳　者　渡辺由佳里(わたなべゆかり)

発行者　岡本　厚

発行所　株式会社 岩波書店
〒101-8002 東京都千代田区一ツ橋2-5-5
電話案内 03-5210-4000
https://www.iwanami.co.jp/

印刷・精興社　製本・牧製本

ISBN 978-4-00-023742-0　Printed in Japan